D1473000

GUIDE MÉTHODOLOGIQUE UNIVERSITAIRE

UN PROGRAMME EN 12 SEMAINES

Illustrations intérieur: ©Shutterstock® images, Jazzia/Dragana Gerasimoski/SoleilC
VectorForever/vladislav_studio/VisualRocks/HuHu

Catalogage avant publication de Bibliothèque et Archives nationales du Québec
et Bibliothèque et Archives Canada

Jimenez, Aude

    Guide méthodologique universitaire : un programme en 12 semaines

    Comprend des réf. bibliogr.

    ISBN 978-2-7606-2264-7

    1. Étude - Méthodes - Guides, manuels, ètc. 2. Sciences sociales - Méthodologie - Guides,
manuels, etc. 3. Rédaction technique - Guides, manuels, etc.
    I. Tadlaoui, Jamal-Eddine. II. Titre.

LB2395.J55 2011   378.1'70281   C2011-941373-6

Dépôt légal: 3ᵉ trimestre 2011
Bibliothèque et Archives nationales du Québec
© Les Presses de l'Université de Montréal, 2011

Les Presses de l'Université de Montréal reconnaissent l'aide financière du gouvernement du
Canada par l'entremise du Fonds du livre du Canada pour leurs activités d'édition.

Les Presses de l'Université de Montréal remercient de leur soutien financier le Conseil des Arts
du Canada et la Société de développement des entreprises culturelles du Québec (SODEC).

RÉIMPRIMÉ AU CANADA EN DÉCEMBRE 2011

AUDE JIMENEZ *et* JAMAL-EDDINE TADLAOUI

GUIDE MÉTHODOLOGIQUE UNIVERSITAIRE

Un programme en 12 semaines

Préface de Jean Trépanier

Les Presses de l'Université de Montréal

Sommaire

Préface

L A FORMATION UNIVERSITAIRE est souvent présentée sommairement comme visant l'acquisition de connaissances. Sans nier l'importance fondamentale de cet apport, il faut ajouter que la réalité va bien au-delà. L'université doit aussi chercher à former des personnes qui, dans leur domaine, seront autonomes et pourront continuer à se former elles-mêmes. Cela implique que l'on doit fournir aux étudiants des outils qui leur permettront de devenir les premiers acteurs de leur propre forma-tion. Ces outils devront leur servir tout autant pendant leurs études qu'après.

Les auteurs du présent ouvrage sont engagés dans l'enseignement des méthodes de travail à l'intention d'étudiants débutants à l'Université de Montréal. Ils désirent fournir à ceux-ci des outils de base essentiels aux études universitaires: comment aborder la lecture d'ouvrages et d'arti-cles de recherche; comment effectuer la préparation et la rédaction de travaux; comment reconnaître et exploiter les ressources documentaires que ces travaux requièrent; comment structurer une démarche intellec-tuelle qui réponde aux exigences de la recherche et qui puisse se refléter dans un travail; comment présenter un travail. Voilà autant de questions, parmi d'autres, que Madame Jimenez et Monsieur Tadlaoui traitent dans leur enseignement.

Les auteurs ont voulu offrir à un plus grand nombre de personnes le fruit de leur expérience et dépasser les frontières des classes où ils enseignent. D'où leur décision de rédiger ce guide, qui s'adresse certes à leurs étudiants, mais aussi à des enseignants et à d'autres étudiants qui souhaiteront en faire usage. Qu'ils en soient remerciés: une contribution qui prépare les étudiants à une démarche intellectuelle autonome est indispensable à la formation universitaire. Elle peut faire de ceux-ci des étudiants mieux formés, qui réussiront mieux tant dans leurs études que dans leur vie professionnelle.

JEAN TRÉPANIER
Professeur titulaire et directeur
Service d'appui à la formation interdisciplinaire
et à la réussite étudiante (SAFIRE)
Faculté des arts et des sciences, Université de Montréal

Introduction

Connaître la méthodologie, c'est avant tout bien vous préparer pour le travail intellectuel et comprendre ce que l'université attend de vous. En effet, l'objectif de ce guide est de vous permettre d'acquérir, de développer et de maîtriser des méthodes de travail efficaces qui vous aideront à réussir vos études universitaires. Partons donc ensemble du principe selon lequel la méthodologie est un «bien nécessaire» auquel ce guide souhaite vous donner accès.

Les auteurs se sont largement inspirés du cours de méthodologie en sciences humaines de l'Université de Montréal auquel ils contribuent depuis 2004. Ce cours, offert à des étudiants de tous les horizons, est lui-même né d'une demande émanant d'autres enseignants du programme. En effet, plusieurs professeurs d'histoire, de philosophie et de sciences politiques souhaitaient que leurs étudiants acquièrent certains outils qui leur faisaient défaut pour structurer leur pensée, bien comprendre les consignes d'examen, et donc mettre en valeur les connaissances qu'ils avaient acquises dans les différents cours.

Réparti sur 12 semaines, soit la durée d'une session universitaire — une session dure en fait 15 semaines, dont nous avons retranché 2 semaines d'examens (intra et final) et une semaine de lecture — , ce guide vous donnera tout d'abord quelques conseils portant sur le travail général: organisation du temps, prise de notes, utilisation d'Internet entre autres recommandations. Nous nous intéresserons à la lecture, puisqu'elle est à la base de toute réussite universitaire. Nous verrons comment trouver de bonnes sources bibliographiques et comment les exploiter adéquatement.

Finalement, nous aborderons la question des différents travaux universitaires: comment les rédiger? Comment construire une argumentation, présenter une description ou échafauder une analyse? Ces différents points méthodologiques vous concernent, quel que soit le cheminement universitaire choisi.

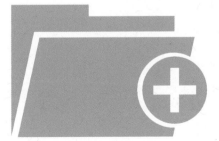

□ SEMAINE 1

Les ressources disponibles dans votre milieu universitaire

I ▶ À quoi sert la méthodologie?

De façon pragmatique, 50% de vos notes concerneront la méthodologie de votre travail. Le contenu de vos écrits est bien entendu primordial, mais la façon dont vous organiserez votre pensée, et par conséquent vos travaux, est tout aussi majeure.

Sachez qu'il existe plusieurs bonnes méthodes pour la réalisation d'un même travail. Cet ouvrage contient une synthèse des possibilités, fondée sur plusieurs années d'expérience des auteurs dans l'enseignement de la matière. Les étudiants posent des questions, rendent des copies, nous discutons ensemble de certaines erreurs et des problèmes qu'ils ont éprouvés. Ainsi, vous trouverez dans ce guide un condensé des solutions efficaces qui ont fonctionné pour de nombreux autres étudiants.

> Un étudiant qui livrerait un texte contenant des idées géniales mais mal structuré, truffé de fautes, sans références valables ne pourrait obtenir une bonne évaluation.

La méthodologie est une matière à la portée de tous. Au cours de la première semaine, nous mettrons la table en commençant par énoncer quelques principes de base visant à optimiser vos habitudes de travail, à déterminer la place d'Internet dans votre cursus universitaire, à vous aider à découvrir vos aptitudes et vos habiletés d'apprentissage et, enfin, à organiser et à gérer votre temps.

II ▶ L'omniprésence d'Internet dans votre cursus: maîtrise et prudence

Selon une étude du Centre facilitant la recherche et l'innovation dans les organisations (CEFRIO), en 2010 plus des deux tiers des adultes québécois utilisaient régulièrement Internet. Chez les 25-34 ans ainsi que chez les 18-24 ans, les taux dépassent les 90%, et les Québécois ayant une formation universitaire font partie du groupe où l'on retrouve le plus d'utilisateurs réguliers d'Internet au cours des années 2000 à 2010.

Ainsi, vous serez amené à utiliser régulièrement Internet durant vos études. Voici quelques applications avec lesquelles il est bon de se familiariser:

☐ Le portail personnel: accessible grâce à un mot de passe délivré par l'université au moment de l'inscription, un portail universitaire permet à chaque étudiant de connaître ses notes, le montant de ses droits de scolarité, les dates importantes de la session, etc.

☐ Le courriel: grâce à des listes automatisées, les enseignants donnent de l'information sur la matière à réviser pour les examens, les lectures à effectuer, les exercices à ne pas oublier, les absences prévues. Votre courriel institutionnel doit donc être opérationnel. À l'Université de Montréal, il s'agit de votre adresse prénom.nom@ umontreal.ca.

☐ Les plateformes de services en ligne: certains enseignants mettent en ligne des plans de cours, des textes à lire ou autres quiz auxquels vous avez accès à partir de votre portail. À l'Université de Montréal, il s'agit de la plateforme StudiUM: https://studium.umontreal.ca/.

☐ Les ressources bibliographiques en ligne: une partie de votre guide y est consacrée un peu plus loin.

En définitive, Internet est partout. Certains départements demandent même à leurs enseignants de ne plus imprimer leurs plans de cours par souci d'économie de papier; vous les recevrez donc, là encore, par courriel.

Cela constitue-t-il un avantage? Absolument. Tous ces outils vous font gagner du temps en vous informant rapidement de ce qui se passe dans votre milieu d'études; ils vous évitent des déplacements inutiles et ils permettent de garder le contact avec la communauté universitaire.

Chaque médaille a son revers. Dans les salles de classe, les enseignants sont aujourd'hui face à de nouveaux étudiants, de plus en plus nombreux, munis d'un ordinateur portable ou d'un téléphone «intelligent» (BlackBerry, iPhone, etc.), ce qui engendre au moins deux inconvénients majeurs: une «fascination technologique» sans fondement et un déficit de concentration.

Si l'on considère la fascination que peut entraîner la technologie, retenez que le plus important reste le contenu de vos devoirs; leur présentation esthétique, bien qu'elle soit étroitement liée au contenu, arrive au second plan. Mieux vaut une présentation orale «à l'ancienne» composée de quelques pages PowerPoint simples, de grands titres au tableau et de concepts bien compris qu'une présentation techniquement sophistiquée mais dépourvue de substance... même si les couleurs sont magnifiques.

Aussi, il est essentiel de rester concentré durant les cours. Facebook, Twitter, MySpace et YouTube sont des applications extrêmement populaires, et il est très facile, pendant que l'on tape des notes dans un cours, de répondre à un «texto» pendant seulement 30 secondes, d'aller vérifier ses courriels ou de clavarder sur MSN.

Tout ce qui peut faire dévier votre attention nuit à votre compréhension de la matière à l'étude. Rester attentif est à la base de votre réussite.

L'exercice ci-après vous invite à faire le point sur vos aptitudes et vos habiletés d'apprentissage.

▷ *Exercice*

Quelles sont mes aptitudes et mes habiletés d'apprentissage ?

Alors que d'autres auteurs, comme Bazinet (2004) et Ellis (1992), ont mis au point des exercices semblables en intégrant plusieurs dimensions d'apprentissage, nous vous invitons ici à réaliser cet exercice au début et vers la fin de la session, afin de prendre conscience de certaines de vos aptitudes essentielles et de constater l'évolution de vos apprentissages. Il vous permettra ainsi de mesurer certaines de vos habiletés et de préciser le type d'étudiant que vous êtes. Vos réponses n'auront de signification que pour vous-même.

En répondant au mieux de vos connaissances, vous devez choisir la ou les propositions qui correspondent le plus possible à vos habitudes de travail. Notez les points pour chacun des énoncés en utilisant les critères suivants :

10 points : s'applique toujours ou presque toujours

9 points : s'applique souvent

8 points : s'applique quelquefois (environ la moitié du temps)

5 points : s'applique rarement

2 points : ne s'applique jamais ou presque jamais

Additionnez ensuite vos résultats pour chaque partie et reportez le total à la fin de l'exercice.

Parmi les habiletés et les aptitudes analysées, nous avons choisi la motivation, l'organisation, la mémorisation, la lecture, la prise de notes, l'attention et l'étude. D'autres exercices sur le sujet en proposeront un choix encore plus vaste.

Motivation

1. [   ] Je suis très motivé au début de chaque session
     et je le reste jusqu'à la fin.

2. [   ] Je sais ce que je veux retenir de mon apprentissage.

3. [   ] J'aime apprendre et évaluer les connaissances acquises.

4. [   ] Je parviens à me motiver même lorsque d'autres
     activités risquent de me distraire.

5. [   ] Je me fixe des objectifs réalistes.

6. [   ] Je suis satisfait de mes progrès quant aux buts
     que je me suis fixés.

7. [   ] Je suis en mesure de me motiver moi-même.

8. [   ] Je comprends les avantages à retirer de ma scolarité.

     [   ] Total

Organisation

1. [   ] J'organise et planifie mes activités pour l'ensemble de la session.

2. [   ] Je révise régulièrement mes objectifs à long terme.

3. [   ] Je me fixe des objectifs à court terme.

4. [   ] Je planifie et organise mes activités chaque semaine tout en respectant un échéancier.

5. [   ] Dans mon horaire, je réserve des périodes d'étude pour chaque cours.

6. [   ] Je prévois du temps pour mes loisirs et mon réseau social.

7. [   ] Je m'arrange pour disposer de suffisamment de temps pour accomplir ce que j'ai prévu chaque jour.

8. [   ] J'adapte mon temps d'étude selon les exigences de chaque matière, ma vie professionnelle et ma vie familiale.

[   ] Total

Mémorisation

1. [   ] Je retiens facilement le nom des personnes.

2. [   ] J'ai confiance en mes aptitudes de mémorisation.

3. [   ] J'ai pris l'habitude, à la fin d'une lecture, d'en résumer les idées.

4. [   ] Je peux me souvenir des renseignements lorsque je suis dans des situations de stress.

5. [   ] J'ai acquis des moyens de mémoriser les informations pertinentes.

6. [   ] Je me souviens des aspects les plus importants après un cours ou une conférence.

7. [   ] Je m'entraîne à exercer ma mémoire.

8. [   ] Je me suis habitué à faire des liens entre l'information et les connaissances acquises.

[   ] Total

Lecture

1. [   ] Je lis toujours en soulignant les passages importants.

2. [   ] Je me pose des questions sur le contenu
de mes lectures.

3. [   ] Lorsque je lis, je reste alerte et concentré.

4. [   ] Lorsque je lis, je prends des notes.

5. [   ] Lorsque je lis, je peux repérer les idées principales
d'un texte.

6. [   ] Je lis à l'avance et revois les lectures que je dois faire
pour les cours à venir.

7. [   ] Lorsque je lis, j'ai un dictionnaire à portée de main.

8. [   ] Lorsque je ne comprends pas ce que je lis, sans
me décourager, j'essaie de trouver des réponses
à mes questions.

[   ] Total

Prise de notes

1. [　] J'ai l'habitude de prendre des notes en classe.

2. [　] Grâce à mes notes de cours, je révise facilement la matière.

3. [　] En classe, je suis attentivement l'exposé de l'enseignant tout en prenant des notes.

4. [　] Je relis régulièrement mes notes juste après le cours ou bien quelques heures plus tard.

5. [　] J'écris mes notes de cours en résumant les propos de l'enseignant.

6. [　] J'ai appris à relever les phrases clés dans l'exposé de l'enseignant.

7. [　] J'ai acquis une bonne méthode de prise de notes.

8. [　] Mes notes sont claires et aérées. Elles me permettent de comprendre et d'expliquer les concepts et le contenu du cours.

[　] Total

Attention

1. [　] J'arrive à limiter et à contrôler mes distractions durant les cours.

2. [　] J'ai appris à retrouver facilement le fil de l'exposé si je le perds.

3. [　] J'ai une écoute attentive des propos de l'enseignant et des échanges en classe.

4. [　] Lorsque j'ai de la difficulté à comprendre, je me concentre davantage.

5. [　] Je sais dans quels cours j'ai de la difficulté à me concentrer.

6. [　] Je connais les causes de mes distractions.

7. [　] Je peux me concentrer et être attentif pour réaliser un travail exigeant.

8. [　] Je connais les moments qui me conviennent pour étudier.

[　] Total

Étude

1. [   ] Je peux prévoir les questions qui seront posées à l'examen grâce à l'étude que je fais des cours.

2. [   ] Je relis et révise fréquemment mes notes de cours.

3. [   ] Je prépare mes examens bien à l'avance.

4. [   ] J'ai mis au point une bonne stratégie d'étude.

5. [   ] Je comprends bien les questions à développement.

6. [   ] Pendant un examen, je lis toutes les questions avant de commencer et je gère bien mon temps.

7. [   ] Je suis calme et confiant pendant un examen.

8. [   ] Je prépare des notes pour m'aider à étudier les éléments importants.

[   ] Total

Reportez maintenant le pointage total de chacune des catégories:

▷ **Motivation**   TOTAL: $[59]$

▷ **Organisation**   TOTAL: $[66]$

▷ **Mémorisation**   TOTAL: $[69]$

▷ **Lecture**   TOTAL: $[59]$

▷ **Prise de notes**   TOTAL: $[75]$

▷ **Attention**   TOTAL: $[68]$

▷ **Étude**   TOTAL: $[41]$

Le total obtenu dans chacune des catégories reflétera adéquatement vos forces et vos faiblesses.

III ▶ L'autoencadrement et la gestion du temps

L'université est bien souvent un haut lieu de solitude. Cours au choix, horaires divers, calendriers malléables : tout au long de vos sessions, vous changez plusieurs fois par semaine de bâtiments, d'unités administratives, d'enseignants, de camarades de classe, et cela engendre certaines contraintes. L'université est une grosse institution pas toujours facile à comprendre, mais elle offre aussi une grande liberté intellectuelle : vous pouvez travailler à votre rythme, choisir vos cours selon vos centres d'intérêt, planifier vous-même votre horaire, etc.

Finalement, l'université vous donne accès à une autonomie salutaire, mais qui peut devenir une entrave à la réussite si vous ne savez pas vous en prévaloir adéquatement.

Le premier domaine dans lequel chaque étudiant doit se fixer des balises est l'organisation du travail. Généralement, au cours de leur première session universitaire, les étudiants ont de la difficulté à bien évaluer la somme de travail demandée pour chacun de leurs cours. Or, bien s'organiser et bien gérer son temps permet d'éviter trois grandes causes d'échec à l'université : le stress dû aux travaux terminés à la dernière minute ; les pertes de temps causées par une mauvaise connaissance de son milieu (horaires des bibliothèques et des bureaux, configuration des bâtiments, etc.) ; les travaux remis en retard qui entraînent des pénalités dans les notes.

> L'autoencadrement désigne la capacité de s'imposer une discipline pour réussir.

De même, une bonne organisation vous permettra de concilier les différentes facettes de votre vie : la famille, le travail, les études, les sorties. Pour y parvenir, voici quelques conseils que vous auriez intérêt à mettre en pratique. Vous pouvez compléter cette liste de conseils par la lecture du guide de Vaillancourt, Snyder et Baril (2001), notamment le chapitre sur « Les facteurs de réussite ».

1. Choisissez un rythme de travail à long terme

Si vous décidez d'allouer à vos devoirs trois heures deux soirs par semaine, posez-vous cette question: dans trois mois, est-ce que cela sera toujours faisable?

Utilisez un calendrier représentant l'ensemble de la session et remplissez-le dès que vos enseignants vous communiqueront des plans de cours avec les dates d'examens et les devoirs à remettre.

2. Prenez connaissance de l'ampleur du travail demandé

Pour chaque travail à effectuer, vérifiez les points suivants:

Quel est le nombre de pages à remettre?

Quel est le barème de correction?

Quel est le degré de réflexion? (Un résumé demande moins d'investissement qu'un travail de recherche, par exemple.)

Quel est le nombre de lectures demandées?

3. Travaillez en équipe quand c'est possible

Pour comparer la compréhension que les divers étudiants ont du cours suivi, échangez avec eux vos impressions; voilà en outre une bonne façon de rompre l'isolement.

4. Mettez du temps en réserve pour les imprévus et évitez la procrastination

La procrastination est le fait de remettre au lendemain ce que l'on peut faire le jour même: prenez plutôt l'habitude d'anticiper. De même, on n'est jamais à l'abri d'une panne de métro, d'une grippe... ou d'un bogue informatique.

5. Déterminez les buts et les objectifs que vous désirez atteindre

Souhaitez-vous entrer dans un programme contingenté? Ou simplement obtenir trois crédits optionnels pour parfaire une formation qui vous intéresse? Selon le choix que vous ferez, le travail à fournir ne sera pas du même ordre.

6. Établissez des priorités

Vous ne pouvez pas tout faire en même temps. À l'aide d'un agenda, ordonnez vos tâches et avancez en faisant un pas à la fois.

7. Optimisez l'espace de travail

L'organisation passe aussi par l'espace choisi pour travailler et étudier. Qu'il s'agisse de la bibliothèque, de la maison ou d'un autre lieu, il est important d'adopter un endroit où il est agréable de travailler. L'aménagement d'un espace de travail sympathique et invitant facilite l'étude et le travail universitaire.

8. Restez concentré durant les séances de travail

Mieux vaut passer quelques heures sur un devoir dans le calme que toute une journée à s'éparpiller entre différentes activités trop souvent médiatiques: un peu de Web, un appel téléphonique et la télévision allumée... Votre cerveau peut difficilement emmagasiner cette variété d'informations excessive.

9. Entraînez votre mémoire

Le cerveau est un muscle: lire et relire ses notes régulièrement, s'entraîner à retenir les informations engrangées en s'autoévaluant, cela vous permettra de garder votre mémoire en éveil tout au long de votre cheminement universitaire.

10. Maintenez votre motivation

N'oubliez jamais les raisons de votre présence à l'université: le meilleur moyen de réussir vos études sera de toujours garder en tête ce qui vous a poussé sur les bancs de l'école, que ce soit un changement de carrière, un perfectionnement dans votre domaine, un programme qui vous passionne, etc.

11. Faites l'inventaire des ressources utiles

Il s'agit des bibliothèques de même que de tous les services étudiants présents sur le campus : les bureaux d'aide financière, les centres d'aide à la réussite, les cafés étudiants, les bureaux des étudiants internationaux, et ainsi de suite. Les étudiants de l'Université de Montréal trouveront l'information concernant les services aux étudiants sur le site de l'Université, sous la rubrique « Vie sur le campus – Service aux étudiants (SAE) » : www.sae.umontreal.ca/.

Cela concerne également les ressources didactiques : les manuels, les notes de cours, les recueils de textes, etc., que les enseignants recommandent ou exigent.

Finalement, votre université dispose probablement d'un centre d'aide à la réussite universitaire. À l'Université de Montréal, le Centre de soutien aux études et de développement de carrière (CSEDC) fait partie du Service d'aide aux étudiants (SAE) ; à l'Université du Québec à Montréal, il s'agit du Centre d'aide à la réussite de la Faculté des sciences de l'éducation (FES) ; à l'Université du Québec à Rimouski, le Centre d'aide à la réussite est sur pied depuis 2002 ; à l'Université Laval, le service disponible se nomme Apprentissage et réussite. D'autres institutions possèdent également un tel centre.

Dans tous les cas, ces centres proposent des ateliers de gestion du temps, de gestion du stress, des méthodes de travail intellectuel, des exercices d'orientation ou de choix de carrière très pertinents. Nous vous invitons à découvrir ces mines d'informations facilement accessibles et gratuites.

☐ SEMAINE 2

La prise de notes

I ▶ Prendre des notes pour mémoriser et s'approprier les connaissances

Votre horaire est établi: la session peut commencer.

Dans tous vos cours, vous devez prendre des notes. La prise de notes est nécessaire dans le cadre d'un cours, de lectures ainsi que dans des situations professionnelles. Vous devez donc la maîtriser. Ce n'est pas une chose qui s'improvise.

Le but essentiel de la prise de notes est de faciliter le travail de la mémoire pour conserver ce qui est lu et entendu, pour apprendre et pour éviter l'oubli.

> La prise de notes permet une personnalisation et donc une meilleure intégration des connaissances.

Prendre des notes sert donc avant tout à garder une trace écrite de l'information reçue et à s'approprier cette information: vous allez traduire des données de toutes sortes (cours, livres, idées) en vos termes et les organiser selon votre propre logique.

La prise de notes, qui est personnelle, doit convenir à votre mode de fonctionnement et à votre style d'apprentissage. D'ailleurs, il est plus aisé de se rappeler ses propres notes de cours que celles d'un autre étudiant.

C'est pourquoi cette activité n'est pas du tout passive; au contraire, elle mobilise vos facultés mentales et vous tient en alerte. La prise de notes doit donc être comprise comme votre meilleur outil en vue d'examens et d'évaluations diverses.

Il n'existe pas de règles universelles ou absolues quant à la prise de notes. Vous devez donc élaborer une méthode personnelle qui tiendra compte de trois facteurs:

- ☐ La connaissance de vos habitudes de travail: votre mémoire est-elle auditive ou visuelle? Fonctionnez-vous par mots clés?

- ☐ L'usage prévu: avez-vous besoin de ces notes pour un examen oral ou pour un compte rendu écrit? Ou simplement afin de rattraper un cours manqué?

- ☐ Les techniques de prise de notes: si les habitudes de travail et l'usage prévu sont des facteurs personnels, quelques conseils généraux peuvent tout de même s'appliquer dans ce domaine. C'est ce que nous allons voir maintenant.

> Habitudes de travail
> + usage prévu
> + techniques de prise de notes
> = méthode personnelle.

II ▶ Les techniques de prise de notes

Voici quelques conseils qui vous permettront d'optimiser vos notes, de les rendre plus claires, plus complètes et plus faciles à utiliser.

1. Réunissez les outils

Choisissez des supports malléables et homogènes qui permettent d'apporter facilement des modifications. L'ordinateur est un outil parfait en ce sens.

2. Écrivez seulement au recto des pages

Il ne s'agit pas d'inciter au gaspillage, mais d'aérer le plus possible vos notes et, au besoin, de les compléter au verso par des informations complémentaires.

3. Pensez à numéroter les pages

Vous pouvez numéroter les pages ou, du moins, utiliser un code pour classer vos notes, dans un ordre chronologique, par exemple.

4. Gardez le même format pour un même travail

Le fait de s'en tenir à un seul format facilite le classement et l'exploitation des notes.

5. Utilisez les enregistrements avec précaution

Vous pouvez recourir à des enregistrements (au moyen de téléphones intelligents, d'enregistreuses numériques ou autres) mais avec précaution: réécouter des notes enregistrées est un travail fastidieux, voire démotivant. Ainsi, n'utilisez les enregistrements qu'en cas d'extrême nécessité (si vous avez un problème de langue, par exemple).

6. Triez l'information

Prenez en compte la logique et le ton de l'enseignant (ou de l'auteur, s'il s'agit d'un livre) : fait-il preuve d'ironie ? Développe-t-il telle ou telle idée pour mieux la réfuter ensuite ? Vous éviterez ainsi l'ennemi public numéro un, soit le contresens. Les notes doivent être brèves et fidèles.

7. Notez les exemples qui illustrent la théorie présentée

Les exemples permettent de mieux comprendre un développement ou un discours souvent abstrait. Grâce à eux, à la relecture vous comprendrez mieux l'argument théorique exposé.

8. Faites appel aux repères logiques

N'oubliez pas les repères logiques, ces « mots syntaxiques » qui marquent le raisonnement de l'auteur dans un texte ou les démonstrations des enseignants dans leurs cours. En voici quelques-uns.

Liens logiques qui servent à...	Quelques synonymes pour éviter les répétitions
Comparer	Aussi, également, de même que, ainsi que, équivalent à, plus ou moins, plus petit que
Ajouter	De plus, en outre, ensuite, par ailleurs, enfin, d'une part... d'autre part
Opposer	Mais, cependant, toutefois, malgré, excepté, ou bien... ou bien..., soit... soit, bien que, même si
Indiquer la cause ou la conséquence	La cause : en raison de, parce que La conséquence : c'est pourquoi, alors, ainsi

9. Repérez les mots clés

Les mots les plus importants sont ceux autour desquels se construit l'idée phare, la thèse présentée. Il s'agit souvent des concepts dont la définition est donnée juste après, dans le texte.

10. Tenez compte des titres choisis par vos enseignants

Dans la presse écrite, la personne qui choisit les titres occupe un emploi à part entière: c'est le chef de pupitre. Dans vos cours aussi, un soin particulier est souvent apporté par vos enseignants à la sélection des titres, puisque ceux-ci marquent le découpage logique de toute la matière enseignée.

11. Observez les ressources bibliographiques mentionnées

Présentées la plupart du temps sous la forme de titres de livres ou de noms d'auteurs, les ressources bibliographiques constituent des preuves sur lesquelles se fondent les théories qui vous sont exposées. Elles sont donc primordiales.

12. Utilisez des abréviations et des symboles

Les abréviations et les symboles vous feront gagner du temps. Cependant, évitez l'excès, qui rend la relecture plus ardue. On utilise les abréviations et les symboles dans le cas des mots courants, des noms officiels, de certains mots spécifiques de votre discipline ou des mots longs.

13. La ponctuation

Prenez également en compte la ponctuation de vos notes, qui permet d'éviter des contresens parfois gênants.

14. Relisez-vous

La relecture de notes est une étape inévitable, puisque c'est de cette façon que l'on étudie en vue des examens. Profitez-en alors pour faire les opérations suivantes:

- clarifier: surligner, éliminer l'inutile, réécrire ce qui n'est pas lisible;
- ordonner: mettre en valeur les titres, les réorganiser, changer de support (saisir les notes à l'ordinateur, par exemple);
- rectifier: réécrire les notes floues ou erronées, corriger les fautes;
- compléter: poser des questions, rechercher des informations supplémentaires auprès de l'enseignant ou dans un livre, synthétiser (en faisant un tableau, par exemple) et ajouter des commentaires qui vous seront utiles (des liens avec des livres lus, avec des cours, des liens Internet, etc.).

Prendre des notes est un apprentissage qui demande de l'entraînement. Des notes de cours adéquates sont indispensables à la réussite des cours et des études d'une façon générale. De même, relire les notes d'un cours peu avant le cours ou la veille de ce dernier favorise l'assimilation de la matière.

▷ *Exercice 1*

Les abréviations courantes

Proposez des abréviations que vous utilisez régulièrement dans vos notes et faites part de vos découvertes à vos camarades de classe. La première ligne vous donne des exemples.

Mots courants		Noms officiels	
Toujours	Tjs	Gouvernement	Gouv.

Mots spécifiques		Mots longs	
Sociologie	Socio	Statistiquement	Stat.t

▷ *Exercice 2*

L'entraînement

Choisissez un document vidéo ou télévisé dont le sujet vous intéresse. Écoutez-le et enregistrez-le au besoin, puis prenez des notes. Voir la vidéothèque du Centre d'études et de recherches internationales de l'Université de Montréal (CERIUM) à l'adresse suivante: www.cerium.ca/contenu38.html?id_mot=183.

□ SEMAINE 3

L'importance des lectures

Que ce soit à l'université ou dans la vie quotidienne, la lecture est l'exercice intellectuel le plus enrichissant qui soit. En effet, lire permet de comprendre les idées d'autrui, de pénétrer les pensées des écrivains et d'acquérir de nouvelles connaissances sur des sujets diversifiés. La lecture permet également d'assimiler l'information écrite sous toutes ses formes.

À l'université, la lecture est omniprésente. Chaque étudiant y consacre un temps non négligeable au cours de la session. Lire avec méthode permet de gagner du temps et d'être efficace.

À cet effet, nous vous proposons certains éléments de base de cette activité afin que vous en tiriez le maximum de bénéfices.

I ▶ Les lectures imposées... et les autres

Quelle que soit la formation qui vous intéresse, pour bien connaître votre domaine, vous serez amené à lire:

☐ les codex (ou recueils de textes) des enseignants, contenant les lectures qui complètent et enrichissent les cours que vous suivez;

☐ les références proposées dans la bibliographie des plans de cours que vous distribuent les enseignants: il s'agit de lectures obligatoires ou conseillées;

☐ les textes proposés à l'occasion de certains examens, que vous devrez décortiquer, analyser, commenter;

☐ les références (livres, articles, etc.) en lien avec votre sujet de recherche (pour un travail de session, par exemple).

Comme vous le constatez, la lecture est incontournable dans votre formation universitaire.

Pourtant, lorsque l'on commence des études universitaires, on ne sait pas toujours dans quelle discipline on souhaiterait s'engager à long terme. Alors, profitez de cette situation pour lire un peu de tout! En effet, le meilleur moyen de faire son choix est de comparer le contenu de différentes disciplines. Prenez le temps de lire ce qu'écrivent les anthropologues, les économistes, les historiens, les politologues, les philosophes, les psychologues ou les sociologues, et un jour viendra peut-être où une vocation naîtra en vous, voire le désir d'entreprendre une carrière. C'est là une autre vertu de la lecture.

II ▶ Lire avec méthode

Lire avec méthode exige une discipline, une connaissance des divers types de lecture et, surtout, la détermination claire et précise de ses objectifs de lecture. La lecture d'un roman, d'un journal, d'une revue, d'un article scientifique ou d'un livre de référence demande au lecteur d'adopter des dispositions et des attitudes bien différentes. Par conséquent, le processus de la lecture varie selon les objectifs fixés. Quels sont les types de lecture ? Dans ce qui suit, nous ferons état des principales caractéristiques de certains d'entre eux.

1. La lecture traditionnelle ou de base

La lecture traditionnelle est la lecture que nous avons tous apprise à la petite école. Elle consiste à lire des textes du début à la fin sans laisser de côté aucun mot et de façon plutôt linéaire. Elle répond à certains besoins, mais elle s'avère peu efficace lorsqu'il s'agit de procéder à une analyse proprement dite. En fait, suffit-il de lire un texte pour l'assimiler et en saisir l'essence ?

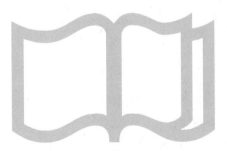

2. La lecture indicative ou sélective

Normalement, la lecture indicative ou sélective est le type de lecture privilégié lorsqu'il faut faire une recherche documentaire. Comme il ne s'agit pas d'emprunter ni d'acheter tous les titres qui semblent répondre à vos besoins de recherche, c'est grâce à cette forme de lecture que vous arriverez à privilégier des références plus pertinentes que d'autres.

La lecture indicative consiste à lire tout d'abord la page couverture, qui contient le nom de l'auteur, le titre du livre, la maison d'édition, ainsi que la quatrième de couverture, où figure une présentation sommaire de l'ouvrage. Ensuite, une lecture attentive de la table des matières permet d'évaluer les différentes parties traitées. Enfin, la consultation de l'index et un coup d'œil sur l'introduction et la conclusion éclairent davantage le lecteur et facilitent sa décision quant à savoir s'il doit ou non choisir l'ouvrage.

Grâce à la lecture sélective, au cours d'un laps de temps relativement court, vous avez une meilleure idée des thèmes traités et des grandes lignes du livre. Cette méthode vous permet de sélectionner rapidement plusieurs livres pertinents.

3. La lecture en diagonale

Avec la lecture en diagonale, vous entrez dans le corps du texte. Elle consiste à parcourir un texte de manière rapide et de survoler toutes les pages sans s'arrêter sur des éléments particuliers.

L'objectif est de parvenir à tirer de ce balayage les éléments essentiels (le sujet, la thèse et les arguments avancés, l'antithèse) sans s'arrêter sur les détails. En prêtant attention aux titres, aux définitions, aux concepts, aux résumés des chapitres, vous arriverez à saisir rapidement les grandes lignes et la structure fondamentale du texte. La maîtrise de la lecture en diagonale demande un entraînement plus ou moins long et régulier.

Cette technique comporte des avantages indéniables, notamment lorsque vous devez rendre dans un temps rapproché des travaux qui nécessitent beaucoup de lectures (résumé, synthèse, etc.).

4. La lecture active

Comme son nom l'indique, il s'agit d'une lecture dynamique, qui permet de stimuler encore plus vos capacités intellectuelles. Dans une démarche active, vous devez étudier rapidement le texte en y intervenant directement. Elle aide à garder votre esprit éveillé pour mieux assimiler la lecture et en dégager ses principales composantes. La lecture active incorpore certaines caractéristiques des techniques précédentes. D'ailleurs, avant de s'engager dans cette lecture, vous devez entreprendre la lecture indicative ou sélective.

Lire activement nécessite de prendre des notes, de surligner et d'annoter le texte selon l'objectif de la lecture en vue de retenir l'essentiel. Cela permet aussi de gagner du temps.

Voici quelques suggestions qui vous aideront à lire activement et efficacement:

- Un crayon à la main, relevez les idées principales et secondaires du texte, encerclez des parties essentielles et mettez en évidence les passages importants.
- Repérez les éléments importants et les mots clés avec les connecteurs principaux.
- À l'issue de votre lecture active, résumez les idées principales dans vos mots grâce à vos notes.

Toutes ces techniques de lecture ne sont pas une fin en soi; elles sont utilisées pour vous permettre de gagner du temps et de lire avec méthode. Elles serviront notamment à réaliser des fiches de lecture.

III ▶ Les bibliothèques de l'université et leurs catalogues de références

Apprendre à se documenter, à trouver une information pertinente dans les bibliothèques et sur Internet, et vérifier la valeur de cette information, voilà autant de tâches qu'il faut maîtriser au sein d'un cursus universitaire. Pour ce faire, il peut être intéressant de visiter le site Internet des bibliothèques de votre université.

Par exemple, dans le cadre d'études en sciences humaines à l'Université de Montréal, la plupart des ressources intéressantes se trouvent à la bibliothèque des Lettres et sciences humaines (LSH), située au pavillon Samuel-Bronfman :

3000, avenue Jean-Brillant
Métro Université de Montréal ou Côte-des-Neiges
Téléphone : 514 343-7430

De même, toutes les grandes universités offrent un accès en ligne à leur catalogue. Vous pouvez donc effectuer une recherche documentaire sur place ou à partir de n'importe quel poste Internet. Au sein du réseau des universités du Québec, il s'agit du catalogue Virtuose. Virtuose est le catalogue de l'UQAM, de l'UQTR, de l'UQAC, etc. Ces catalogues se nomment CRESUS à l'Université de Sherbrooke ou ARIANE à l'Université Laval. À l'Université de Montréal, c'est Atrium.

☐ SEMAINE 4
La sélection des lectures

Lorsque vous avez en main la liste de notices correspondant à votre sujet de recherche et que vous vous retrouvez dans les rayons de la bibliothèque, vous devez encore trier les documents que vous avez sous les yeux. Voici de quelle manière vous devez vous y prendre.

I ▶ Les paratextes

Pour une première approche, prenez connaissance des paratextes de vos références. Les paratextes sont tous les écrits que l'on trouve dans un document mais qui ne font pas partie du texte principal. Ils vous donnent une idée du contenu de la ressource documentaire avant d'en commencer la lecture.

Voici quelques exemples de paratextes:

- les titres;
- la quatrième de couverture (le résumé au dos du livre);
- la présentation de l'auteur;
- le sommaire ou la table des matières;
- les index;
- la bibliographie finale.

Les paratextes vous permettront en quelques coups d'œil de voir si la source correspond à vos attentes sur plusieurs points: niveau de compréhension, scientificité, structure, etc.

Une fois ce premier survol effectué, différentes indications sont à prendre en compte dans le choix de vos lectures.

II ▶ Quelques indicateurs de sélection des sources

☐ Tenez compte de votre niveau d'études et de compréhension. Dans la mesure où vous commencez votre cursus universitaire, n'utilisez pas de ressources trop conceptuelles ou trop complexes.

☐ Évaluez le niveau de sérieux de vos références. Cet aspect, qui s'affinera avec le temps, vous permettra d'approfondir vos recherches. Il s'agit ici de choisir des auteurs reconnus ou des ouvrages d'une collection connue pour s'assurer une crédibilité maximale des sources. Plus vous lirez de textes en relation avec votre matière, plus vous saurez reconnaître ces références.

☐ Selon les cours, vous aurez le choix de travailler en français uniquement, ou en français et en anglais. La maîtrise de ces deux langues sera de toute façon liée fortement à la réussite de vos études universitaires. N'hésitez pas à vous renseigner à ce sujet auprès de vos enseignants.

☐ L'actualité de vos sources est également une indication à prendre en considération. En sciences humaines comme dans la plupart des sciences, vous perdrez toute crédibilité si vous utilisez des données périmées. Comment parler du suicide chez les jeunes de nos jours en se fondant sur une recherche effectuée dans les années 1980? Vous devez ainsi coller à la réalité d'aujourd'hui.

☐ Par ailleurs, la scientificité est un critère majeur sur lequel nous devons nous arrêter. À l'université, vous devez toujours utiliser des ressources scientifiques dans la préparation de vos travaux.

III ▶ Les critères de scientificité des ouvrages

Les textes scientifiques sont écrits par des chercheurs ou autres spécialistes qui font la preuve de ce qu'ils avancent, qui ont eux-mêmes beaucoup lu tout au long de leurs recherches et qui ont couvert du terrain, fait des expériences, etc., pour confirmer leurs thèses. La structure d'un texte scientifique est abordée un peu plus loin dans ce guide.

Fiez-vous en premier lieu aux critères que l'on appelle *primaires*, puis affinez votre choix grâce aux critères secondaires.

1. Les critères de scientificité primaires

☐ L'auteur doit être un chercheur d'université ou d'un centre de recherches, un professeur d'université ou toute personne dont la crédibilité est reconnue par le comité de lecture de l'ouvrage. On évitera donc les ouvrages dont l'auteur est inconnu ou difficilement identifiable.

☐ La bibliographie est un recensement de toutes les lectures faites par l'auteur pour écrire son ouvrage (ses références). Elle est en général présentée à la fin du livre, mais certains auteurs fournissent leurs références tout au long du texte, en notes de bas de page. Voir plus loin les différents types de référencement des sources (semaine 6).

☐ Le comité de lecture (en anglais, vous trouverez la mention *peer reviewed* ou *refereeing*) : il s'agit d'un comité de spécialistes — généralement des professeurs-chercheurs d'université — qui évaluent les lectures au sein d'une maison d'édition ou d'une revue scientifique. Pour ces dernières, on parle également d'un comité scientifique qui garantit, justement, la scientificité des textes que comporte la revue. Parfois, vous rencontrerez le terme *comité d'honneur* : cela équivaut à un comité scientifique.

☐ L'éditeur est également considéré comme un critère primaire de scientificité. Tout livre publié par un éditeur universitaire, comme les Presses universitaires de France (PUF), les Presses de l'Université de Montréal (PUM) ou les Presses de l'Université Laval (PUL), est considéré comme fiable d'un point de vue scientifique, car les maisons d'édition universitaires ont un comité de lecture (voir ci-contre).

> Attention aux revues qui n'ont qu'un correspondant scientifique ou qu'un journaliste scientifique : ce sont des spécialistes des questions scientifiques qui ne sont pas des chercheurs eux-mêmes. Ils sont journalistes, et leur rôle n'est pas de vérifier la valeur scientifique des articles publiés dans leur revue.

Ne perdez pas de vue que tout n'est pas blanc ou noir en matière de scientificité : par exemple, certaines revues ne mentionnent pas la présence d'un comité de lecture, mais lorsque l'on parcourt les textes qu'elles publient, on se rend compte que tous les auteurs participants sont des chercheurs d'université ou que la revue appartient à un centre de recherche universitaire.

De même, pour les livres, le fait que l'auteur soit détenteur d'un doctorat (Ph.D.) n'est pas un critère de scientificité suffisant.

Dans des situations de doute, vous pouvez faire appel à une série de critères secondaires. Ceux-ci ne sont pas suffisants en soi, mais ils donnent de bonnes pistes.

2. Les critères de scientificité secondaires

☐ D'abord, il faut se méfier de la vulgarisation scientifique: quel vocabulaire est utilisé? Le texte contient-il des concepts que l'auteur a pris soin de définir, de spécifier? Lorsque la lecture du texte est très simple, elle est souvent vulgarisée, donc incomplète. *Québec Science*, *Science & Vie* et *La Recherche* sont des exemples de revues de vulgarisation scientifique.

☐ Un chercheur comprend, explique, il évite de porter des jugements de valeur. Dans un texte scientifique, vous ne trouverez ni opinion ni commentaire.

☐ Dans le cas des articles de revues scientifiques, on peut considérer la longueur: un texte de revue scientifique contient habituellement au minimum une dizaine de pages. C'est surtout vrai en sciences humaines.

☐ Les illustrations peuvent caractériser des textes de vulgarisation scientifique. Dans les parutions scientifiques, la sobriété est souvent de mise. En sciences exactes, par contre, il faut prêter attention aux illustrations qui font partie de la démonstration scientifique.

☐ Vérifiez également la présence de publicités dans vos textes: une revue commanditée peut-elle être neutre si la publicité concerne des questions qui ont trait à son contenu?

☐ Finalement, méfiez-vous de l'absence de références, de graphiques, de tableaux, de notes de bas de page ou d'appareil critique.

IV ▶ Quelques lectures accessibles et pertinentes

Pour clore ce chapitre sur la sélection de vos lectures, voici quelques collections de livres faciles à lire et pertinents. Ce sont quatre collections de livres intermédiaires, écrits, en général par des auteurs connus, pour un public qui commence ses études universitaires:

- la collection «Que sais-je», aux Presses universitaires de France (PUF);
- la collection «Paramètres», aux Presses de l'Université de Montréal;
- la collection «128», aux Éditions Nathan;
- la collection «Repères», aux Éditions La Découverte.

Il est intéressant de mentionner que ces livres comportent des bibliographies à jour et crédibles qui vous mèneront vers d'autres sources plus complexes au besoin.

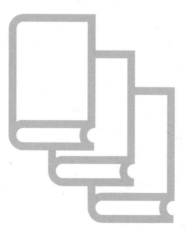

□ SEMAINE 5
La lecture dans le cadre d'un sujet de recherche

I ▶ Choisir des lectures en lien avec le sujet

Le choix de lectures pertinentes doit être réalisé avec beaucoup de soin. Dans certains cas et selon les consignes de l'enseignant, le sujet et les lectures vous seront imposés. Lorsqu'il en est ainsi, vous devez suivre les directives et appliquer les règles édictées. Mais si vous devez vous-même choisir un sujet, deux problèmes principaux peuvent survenir. En technique de documentation, on les nomme *effet de bruit* et *effet de silence* (Quivy et Van Campenhoudt, 2006).

Dans le cas de l'*effet de bruit*, cela suppose que votre sujet est si large que vos recherches documentaires dans un des catalogues de la bibliothèque vous donnent un trop grand nombre de résultats. Cette situation, qui est assez rare, se corrige généralement en définissant plus clairement le sujet et en formulant une question de recherche aussi claire que possible. La meilleure façon de ne pas vous perdre dans le choix de vos lectures est de bien circonscrire la formulation de votre question de recherche. Ainsi, votre travail aura un fil conducteur.

Par conséquent, pour toute recherche documentaire en lien avec votre sujet, vous devez vous poser trois questions essentielles: Qui? Comment? Où? Par exemple, en tant que chercheur, vous vous demanderez qui sont les personnes, les institutions, les groupes et les objets qui vous intéressent. Quelles sont les actions et les interactions des personnes et des groupes en question? Vous préciserez aussi où se situe l'action de votre sujet. Par ailleurs, vous devez définir dans quel champ disciplinaire vous vous trouvez et souhaitez entreprendre votre recherche. S'agit-il de la sociologie, de l'anthropologie, de l'histoire, de la science politique, etc.? Ces quelques questions vous guideront dans le choix de votre sujet de recherche.

Par exemple, les acteurs peuvent correspondre à une équipe de soccer, aux policiers de Montréal, aux Québécois, aux immigrants, aux utilisateurs de téléphones portables, à la ville de Sherbrooke, aux entreprises comptant moins de 20 employés, etc. Respectivement, ces acteurs s'entraînent, font la grève, votent, s'intègrent, consomment, investissent, licencient et embauchent, dans un milieu, un pays, une région ou sur un continent donné.

> En effet, dans n'importe quel sujet, on s'intéresse de façon schématique à « quelqu'un qui fait quelque chose quelque part ».

De cette façon, vous aurez une direction claire à suivre dans le déroulement de vos recherches documentaires. Ces termes (la population, l'action, le lieu, etc.) seront les mots clés que vous utiliserez dans les moteurs de recherche et les catalogues documentaires afin de cibler des lectures pertinentes pour votre sujet de recherche.

En ce qui concerne l'*effet de silence,* la situation inverse se produit. Cela veut dire que votre recherche documentaire vous donne très peu de références valables.

Cette situation est relevée très fréquemment par les étudiants. S'il vous arrive de la vivre, dites-vous que, dans la grande majorité des cas, un sujet pour lequel on ne trouve pas de références est un sujet pour lequel on n'a pas fait les recherches adéquates dans les bases de données consultées. Cet obstacle peut être franchi en accomplissant des tâches simples :

- Munissez-vous d'un dictionnaire.
- Consultez sur Internet des sites en lien avec votre sujet.
- Commencez à lire des sources généralistes (des articles d'encyclopédie, par exemple) pour vous imprégner des notions de base du domaine et varier les termes à utiliser pendant la recherche documentaire.
- Trouvez des synonymes, des mots apparentés ou des mots de la même famille.
- Utilisez des concepts plus larges en vous demandant si l'objet de votre étude fait partie d'une famille d'autres concepts en lien avec un champ disciplinaire spécifique.

Supposons que vous vous intéressiez aux conditions de vie des familles immigrantes du Canada et que vous souhaitiez obtenir des documents pour prendre connaissance des notions de base avant de choisir un angle particulier de traitement de votre sujet.

D'emblée, pour avoir plus de chances de trouver des références en lien avec votre sujet, vous devriez vous interroger sur le concept de *familles immigrantes* et vous dire qu'il fait partie de concepts plus larges, comme l'étude des groupes ethniques, l'intégration, les relations socioculturelles, la discrimination ou le racisme.

Une fois vos concepts, vos «termes» majeurs, vos synonymes trouvés, vous devez les combiner de différentes façons pour effectuer correctement votre recherche documentaire afin d'obtenir une documentation suffisante. C'est à ce moment précis qu'entrent en scène les opérateurs booléens, ou opérateurs logiques, inventés par le mathématicien anglais George Boole au xixᵉ siècle.

Pour mettre en relation deux ou trois concepts ou synonymes, on utilise les mots « ET », « OU » et « SAUF ». En réalité, vous les utilisez déjà sans vous en rendre compte, par exemple sur n'importe quel moteur de recherche de type Google qui par défaut utilise le mot « ET ».

Dans notre exemple, « famille immigrante », la requête que l'on soumet au moteur de recherche, sous-entend « famille ET immigrante ». Le « ET » représente l'opérateur booléen le plus utilisé. C'est lui qui va davantage préciser la recherche. Dans ce cas, le moteur de recherche sélectionnera les sources qui contiennent les deux termes ensemble. Pour approfondir la recherche, il est très important de savoir utiliser les autres opérateurs booléens tant pour ouvrir la recherche, avec le « OU », que pour la fermer, avec le « SAUF ».

Avec le « OU », le moteur de recherche prendra en compte toutes les notices qui contiendront un terme OU l'autre. Dans notre exemple, ce seront toutes les notices contenant « famille » et toutes les notices conte- nant « immigrante » qui seront sélectionnées. Le « OU » est utile pour demander au moteur de recherche d'ouvrir la sélection vers des termes qui se rapprochent entre eux: famille immigrante OU famille immigrée OU immigrants, etc.

On utilise l'opérateur « SAUF » pour exclure un terme de la recherche. Imaginons que toutes les notices que propose le moteur de recherche parlent d'immigration des familles en France. Dans ce cas, si vous cherchez des documents qui traitent des familles au Québec, vous devez exclure ces notices. Vous ajusterez alors votre recherche selon ces termes: famille immigration SAUF France.

Cet exercice vous entraîne à contrer les effets de bruit
et de silence, et à utiliser les opérateurs booléens.

▷ *Exercice*

Exemple de sujet:
L'utilisation de Facebook chez les étudiants canadiens.

ÉTAPE 1: PRÉCISER MON SUJET

Population: _____

Action: _____

Lieu: _____

Discipline: _____

ÉTAPE 2: OUVRIR MON SUJET

Synonymes ou mots apparentés: _____
_____
_____

Mots de la même famille: _____
_____
_____

Contraires: _____
_____
_____

Concepts plus larges: _____
_____
_____

II ▶ La recherche documentaire sur Internet

Comme nous l'avons signalé précédemment, avec l'évolution des technologies, l'ère de l'informatique est omniprésente dans la vie moderne. Du courriel aux sites que l'on peut consulter ou créer, en passant par les forums ou encore les plateformes d'apprentissage virtuelles, tous ces supports sont devenus indispensables: c'est aussi le cas dans le monde de l'éducation et de la recherche.

En effet, Internet est sans conteste le moyen le plus utilisé, aujourd'hui, pour mener une recherche documentaire dans n'importe quel domaine. Ainsi, à l'université, les chercheurs sont de plus en plus nombreux à diffuser leurs travaux sur le Web. Toutes les universités offrent un grand nombre de ressources en ligne, sur place et accessibles à distance: à l'Université de Montréal, par exemple, vous pouvez faire installer un serveur informatique mandataire ou *proxy* — un serveur mandataire ou *proxy* est une interface, un serveur informatique dont le rôle est de relayer des requêtes entre un ordinateur personnel et un serveur, notamment celui de l'université — sur votre ordinateur qui vous donnera gratuitement accès à un grand nombre de ressources en ligne (journaux, magazines, articles scientifiques, etc.). Par ailleurs, des colloques virtuels sont organisés entre chercheurs d'un point à l'autre de la planète.

Mais comment trouver une information pertinente et vérifier sa valeur sans se perdre dans ce réseau si vaste?

Commencez par bien vous préparer: comme pour une recherche documentaire classique, les conseils de mots clés, de synonymes ou d'opérateurs booléens sont de mise.

De même, tous les critères vus précédemment s'appliquent aux ressources en ligne: votre but est de trouver des documents actuels, scientifiques avant tout et correspondant à votre niveau de compréhension.

1. Aller au-delà de l'utilisation de Google

Pour effectuer une recherche optimale, on commence habituellement par faire du «repérage». Et la première idée qui vient à l'esprit est d'entrer nos mots clés dans le moteur de recherche Google.

Or, cela ne suffit pas: dès cette étape, vous pouvez consulter quelques sources généralistes, même non scientifiques, tirées de l'actualité. Cela vous donnera un réservoir de nouveaux concepts et de nouveaux mots clés, lesquels vous permettront ensuite d'affiner votre recherche au sein de portails plus spécialisés. N'oubliez pas que Google trie ses résultats de recherche d'abord par occurrences. Par conséquent, si votre sujet de recherche est spécialisé, original, il sera en fin de liste.

Ensuite, vous devez cibler davantage vos sites pour obtenir des sources plus pertinentes. En effet, vous gagnerez du temps:

☐ En effectuant vos recherches à partir du site des bibliothèques de l'université (www.bib.umontreal.ca): les bibliothécaires font un travail de tri pour faciliter les recherches des étudiants. Par exemple, sur le site de l'Université de Montréal, sous la rubrique «Trouver des ressources documentaires», pour pouvez faire une recherche par discipline et avoir accès directement à une foule de sites valables, puisque l'université les a déjà triés.

☐ En visitant les sites d'autres universités, comme l'Université Laval, l'Université de Sherbrooke, l'Université de Moncton ou l'Université du Québec à Montréal. Toutes ces universités, comme la vôtre, trient des sites et proposent à leurs étudiants des guides de recherche documentaire. À vous de profiter de ces ressources en ligne.

☐ En dressant une liste de «favoris» dans votre ordinateur pour vos études: vous le faites certainement déjà dans votre vie de tous les jours. Comme vous étudierez pendant plusieurs mois, voire plusieurs années, dans un domaine, les dossiers de favoris vous permettront de gagner beaucoup de temps.

2. Repérer la rubrique «Qui sommes-nous?»

Sur chaque site, vous devez chercher la rubrique «Qui sommes-nous?», «Nous connaître» ou encore «Contact»: tout site donne cette page de présentation qui vous informe sur les auteurs et leur historique. Car ne l'oubliez pas, l'auteur reste un critère majeur de scientificité.

3. Contrôler la qualité

Sur Internet, tout change continuellement. C'est le fameux «erreur 404»: une page peut être présente un jour et absente le lendemain, ou un site peut être en construction, ou encore le lien n'existe plus. Or, un site sérieux est en général un site stable; on se méfie donc de ce type de message.

Certains sites sont très engagés et font preuve d'une grande partialité. Un site scientifique, donc objectif, cherche à comprendre et à expliquer, et non à convaincre.

Par ailleurs, les homonymes sont des mots qui se prononcent et parfois s'écrivent de la même façon mais qui n'ont pas le même sens. Retenez que les moteurs de recherche ne distinguent pas les homonymes.

Enfin, méfiez-vous des sites qui comportent de nombreuses images et publicités. Un site commercial contenant des publicités est financé par des entreprises privées; il est donc susceptible de prendre parti, de manquer de neutralité et d'objectivité. Les sites universitaires et les sites des groupes de recherche sont indépendants.

Internet offre à la fois le meilleur et le pire. C'est un lieu quasi inépuisable d'information. Toutefois, il n'y existe pas de contrôle de la qualité de l'information et les propriétaires de sites y mettent ce qu'ils veulent, que les informations soient vraies ou fausses. Vous avez la responsabilité de valider la fiabilité des sites visités. L'évaluation de vos travaux dépendra notamment de ce contrôle de la qualité.

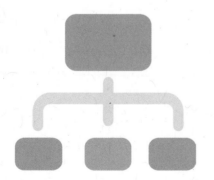

III ▶ Les différents types de ressources documentaires

Qu'il s'agisse de documents répertoriés dans une bibliothèque universitaire ou sur un site Internet, toutes les ressources documentaires ne sont pas identiques et n'ont donc ni la même utilité ni la même valeur. Si vous variez vos lectures dans le cadre d'un sujet de recherche, vous pourrez enrichir considérablement votre approche du sujet. Votre enseignant verra alors que vous maîtrisez les outils de recherche à votre disposition.

Les ressources documentaires sont classées en trois grandes familles: les ressources de type primaire, secondaire et tertiaire.

1. Les ressources primaires

Les ressources primaires comprennent toutes les publications dont le contenu est original, qui sont produites ou divulguées directement par l'auteur. Dans cette catégorie, on trouve les ressources suivantes:

- Les monographies et les livres. Ces ressources présentent l'étude complète et détaillée d'un sujet délimité. Elles fournissent tous les éléments nécessaires à une réflexion personnelle sur le sujet.
- Les thèses et les mémoires. Ce sont des documents écrits dans le but de satisfaire aux conditions d'obtention d'un diplôme supérieur universitaire.
- Les périodiques (de source primaire). Il s'agit de toutes les publications qui apparaissent à intervalles réguliers. Leur but est de diffuser les résultats de recherches et de favoriser les échanges intellectuels. Il existe plusieurs types de périodiques dont les journaux, les bulletins et les revues.

- Les documents audiovisuels. Ils comprennent les vidéos, les films, les diaporamas, les transparents, etc. Ces documents proviennent souvent d'informations présentes dans d'autres médias.

- Les documents officiels. Il s'agit des publications du gouvernement, d'une institution ou d'un organisme international. Généralement, ce sont des documents de vulgarisation de connaissances.

2. Les ressources secondaires

Les ressources secondaires sont des documents ou des outils qui permettent d'avoir accès aux ressources primaires. Dans cette catégorie, on trouve les ressources suivantes :

- Les catalogues de bibliothèques. Ils permettent un accès par auteur, par titre et par sujet aux ouvrages acquis par la bibliothèque (voir le catalogue Atrium).

- Les catalogues collectifs de périodiques. Ils présentent tous les périodiques disponibles dans les bibliothèques classés par ordre alphabétique selon le nom du périodique et la ou les bibliothèques où ils sont disponibles.

- Les bases de données automatisées en ligne ou sur cédérom (Érudit, Repères). Ce sont des banques de données spécialisées sur toutes les publications nationales et internationales dans de grands champs d'intérêt tels que les sciences et la santé, les sciences appliquées et les technologies, les sciences sociales et humaines ou l'éducation.

3. Les ressources tertiaires

Les ressources tertiaires sont des documents écrits qui permettent de comprendre des concepts abordés dans les ressources primaires ou qui exposent des principes généraux sur des thèmes spécifiques qui servent de références.

Ces ressources sont appelées *monographies de référence*. Dans cette catégorie se trouvent les ressources suivantes:

- Les dictionnaires de langue ou spécialisés.
  Exemples: *Encyclopædia Universalis, Encyclopedia of Food Science and Technology, Encyclopedia of Textiles, Encyclopédie culinaire, Encyclopédie de l'alimentation saine, Encyclopédie de la décoration intérieure.*
- D'autres sources tertiaires. Dans cette sous-catégorie, signalons les manuels, les répertoires, les atlas et les anthologies.

Tous ces types de documents seront utilisés selon leur importance et leur apport quant au travail que vous devez réaliser. Dans ce contexte, la diversité des ressources documentaires est synonyme de richesse.

□ SEMAINE 6

La présentation des références

Pour un sujet imposé comme pour un sujet choisi, la documentation obtenue doit être traitée et présentée selon des normes universitaires reconnues. Avant d'exposer l'analyse et le traitement des textes, nous allons nous attarder sur la manière de présenter les références et de citer des sources documentaires en respectant les règles déontologiques en vigueur.

I ▶ La citation et la paraphrase

La citation et la paraphrase sont les deux moyens qui vous permettent de mentionner vos lectures au sein de vos travaux. Rappelons qu'une citation est la reprise d'une ou plusieurs phrases issues d'un texte *dans ses termes exacts*. Il s'agit d'un passage significatif que vous choisissez à même le texte de l'auteur et que vous décidez d'emprunter en suivant certaines règles sans chercher à vous approprier la pensée de l'auteur. Il s'agit de faire preuve d'honnêteté intellectuelle et d'éviter le plagiat.

L'Université de Montréal prend très au sérieux la question du plagiat: elle y consacre d'ailleurs toute une portion de son site Internet: www. integrite.umontreal.ca.

Les citations doivent respecter un modèle de présentation des références. Ce modèle n'est pas utilisé de la même manière dans toutes les disciplines. Un des modèles utilisés le plus souvent dans les universités nord-américaines est le système «auteur-date». Celui-ci exige de donner le nom de l'auteur, la date de l'ouvrage et le numéro de la page.

1. La citation courte

Une citation courte comporte moins de cinq lignes, elle est insérée dans la trame même de l'argumentation et placée entre guillemets. Voici un exemple.

Comme le dit Bernard Dionne, «Plagier, c'est reproduire le texte ou l'idée d'un auteur sans en donner la source, de manière à laisser croire que c'est l'expression de sa propre pensée» (Dionne, 2008: 197). Ou encore: Comme le dit Bernard Dionne (2008: 197), «Plagier, c'est reproduire le texte ou l'idée d'un auteur sans en donner la source, de manière à laisser croire que c'est l'expression de sa propre pensée».

L'essentiel, c'est que l'auteur, la date et la page soient mentionnés. On procède de la même manière avec les citations longues.

2. La citation longue

La citation longue comporte au moins cinq lignes, elle est mise en retrait du texte, à simple interligne et sans guillemets. Voici un exemple.

> Plagier, c'est reproduire le texte ou l'idée d'un auteur sans en donner la source, de manière à laisser croire que c'est l'expression de sa propre pensée. Lorsqu'on reproduit un extrait de livre, un document de site Internet, un paragraphe d'un article de revue ou d'encyclopédie sans donner la référence complète de cet emprunt à la pensée d'un autre, on commet un plagiat. Le plagiat est une fraude sanctionnée par la note zéro, parfois par le renvoi du cours auquel on est inscrit, parfois même par le renvoi de l'établissement où l'on étudie. Il s'agit d'un délit grave. Il en va de votre intégrité intellectuelle, voire de la simple honnêteté. Omettre d'indiquer sa source lorsqu'on cite le texte d'un autre ou que l'on reprend les idées d'un autre est un acte inacceptable sur le plan de l'éthique intellectuelle. Résumer le texte d'un autre est permis, mais ne pas en indiquer la source, c'est plagier. (Dionne, 2008: 197)

3. La paraphrase

Vous pouvez également recourir à la paraphrase, c'est-à-dire reformuler les idées d'un auteur dans vos propres mots en ajoutant la référence (auteur et date: page). Ici, les guillemets disparaissent.

Reprenons l'exemple précédent pour donner la référence d'une citation courte. Ainsi, «Plagier, c'est reproduire le texte ou l'idée d'un auteur sans en donner la source, de manière à laisser croire que c'est l'expression de sa propre pensée» (Dionne, 2008: 197) peut devenir sous forme de paraphrase:

Le plagiat consiste à reprendre à son propre compte les pensées élaborées par d'autres personnes tout en voulant donner l'impression que ce sont les nôtres (Dionne, 2008: 197). Ou encore: Selon Dionne (2008), le plagiat consiste à utiliser les idées d'un autre en laissant croire qu'il s'agit des nôtres.

Dans un travail fait en classe, citez les auteurs et les idées essentielles plutôt que des phrases entières que vous aurez de la difficulté à retenir par cœur. Faites appel à la paraphrase plutôt qu'à des citations lorsque vous avez le moindre doute concernant l'idée de l'auteur qui vous intéresse: une citation, ne l'oublions pas, est la reprise des termes exacts d'un auteur. Mieux vaut bien paraphraser que mal citer!

II ▶ La bibliographie

1. Définition et utilité

Comme nous l'avons mentionné au sujet des critères de scientificité de vos lectures, la bibliographie est un critère primaire majeur de tout texte scientifique. De même dans vos textes, la bibliographie finale est la recension de toutes les lectures que vous avez effectuées pour un travail universitaire. Vous trouverez également le terme *liste des références*: contrairement à la bibliographie, celle-ci contient uniquement les références citées dans le texte.

Le lecteur qui prend connaissance de votre recherche doit pouvoir retrouver les sources qui vous ont servi tout au long de votre travail.

2. La présentation de la bibliographie

Comme dans le cas de vos citations, pour présenter une bibliographie, vous devez choisir un modèle de référence.

La bibliographie présentée dans cet ouvrage correspond au modèle auteur-date que nous avons vu. Avec vos citations, vous avez donné l'auteur, la date et la page de la source bibliographique citée (*voir le modèle*). Dans la bibliographie finale, on reprend toutes les sources utilisées et on en donne la référence complète (le lieu d'édition, l'éditeur, le nombre de pages si possible, etc.). Vous rencontrerez dans un grand nombre de livres une méthode dite *classique* ou *traditionnelle* largement employée dans le monde francophone. S'appuyant sur les références de notes de bas de page, cette méthode est relativement complexe mais tout aussi valable que la précédente.

> L'essentiel dans le choix d'un modèle de présentation est de s'assurer de la cohérence globale de votre bibliographie: veillez à conserver le même modèle tout au long de votre travail.

3. La méthode auteur-date en détail

Retenez les critères suivants pendant la rédaction de votre bibliographie:

- Les règles de mise en pages sont très strictes: en ce qui a trait à la casse, à la ponctuation et à l'ordre des informations, il faut suivre exactement le modèle choisi.

- Les références sont classées par ordre alphabétique de noms de famille d'auteurs.

- Si vous utilisez plusieurs textes d'un même auteur, classez-les par années de parution, de l'année la plus récente à l'année la plus ancienne (2005, 2004, 2003, etc.).

- Si le même auteur a publié plusieurs textes la même année, il faut ajouter, dans le texte et dans la bibliographie, après l'année, les lettres «a», «b», etc. (par exemple, Dionne, 2004a: 218).

- S'il n'y a pas de nom d'auteur, il faut écrire à la place et entre crochets [ANONYME]. En général, il vaut mieux éviter ce type de source, puisque l'auteur est la première preuve de scientificité d'un texte.

4. Les sources bibliographiques les plus courantes dans le système auteur-date

- **Pour un livre**

  NOM DE L'AUTEUR, prénom (année de publication), *Titre du livre*, lieu d'édition, maison d'édition, nombre de pages du livre.

  ▶ Exemple: TREMBLAY, Michel (1995), *La nuit des princes charmants*, Montréal, Leméac, 221 p.

- **Pour un article de périodique** *(revue scientifique, journal, etc.)*

  NOM DE L'AUTEUR, prénom (année de publication), «Titre de l'article», *Titre du périodique*, volume, numéro, pages de l'article.

  ▶ Exemple: GIGUÈRE, Simon (2003), «Berlin, 1936: les jeux de la propagande», *Bulletin d'histoire politique*, vol. 11, n° 3, p. 142-151.

- **Pour une page Web particulière**

  NOM DE L'AUTEUR, prénom, *Titre du site* [en ligne], adresse Web (page consultée le [indiquer la date]).

  ▶ Exemple: LAPORTE, Gilles (2004), *Les patriotes de 1837@1838* [en ligne], http://cgi.cvm.qc.ca/glaporte/ (page consultée le 20 mars 2004).

- **Pour un article de périodique ou d'encyclopédie en ligne**

  NOM DE L'AUTEUR, prénom (année de publication), «Titre de l'article», *Titre du périodique ou de l'encyclopédie* [en ligne], adresse Web (page consultée le [indiquer la date]).

  ▶ Exemple: [ANONYME] (2003), «Pablo Picasso», *Encyclopédie Encarta* [en ligne], http://fr.encarta.msn.com/encyclopedia_761569324/Picasso_Pablo.html (page consultée le 25 octobre 2003).

N. B.: Il est primordial d'indiquer la date de consultation de l'ouvrage, car les adresses Web peuvent changer, voire disparaître.

- ## Pour un chapitre tiré d'un ouvrage collectif

  NOM DE L'AUTEUR, prénom (année de publication), «Titre de l'article», dans prénom et nom du directeur du collectif (dir.), *Titre de l'ouvrage collectif*, lieu d'édition, maison d'édition, numéros des pages du chapitre.

  ▸ Exemple: SIMARD, Jean-Jacques (1999), «Ce siècle où le Québec est venu au monde», dans Rock Côté (dir.), *Québec 2000. Rétrospective du xxᵉ siècle*, Montréal, Fides, p. 17-77.

- ## Pour un article provenant d'un dictionnaire ou d'une encyclopédie

  NOM DE L'AUTEUR, prénom (date de publication), «Titre de l'article», *Titre de l'ouvrage de consultation*, lieu d'édition, maison d'édition, tome ou volume [s'il y a plusieurs livres], numéros des pages de l'article.

  ▸ Exemple: BRUNET, Michel (2002), «Canada. B. Histoire et politique», *Encyclopédie Universalis*, Paris, Éditions Encyclopædia Universalis, tome 4, p. 836-846.

- ## Pour un mémoire de maîtrise et une thèse de doctorat

  NOM DE L'AUTEUR, prénom (année de publication), *Titre, thèse ou mémoire* (discipline scientifique), nom de l'université, nombre de pages.

  ▸ Exemple: MATHIEU, Gabrielle (1991), *Les relations France-Québec de 1976 à 1985*, mémoire de maîtrise (science politique), Université d'Ottawa, 125 p.

N'hésitez pas également à vous référer au site Infosphère, qui offre une présentation complète des différentes sources référencées selon le système auteur-date ou selon le modèle classique des références: www.bib. umontreal.ca/infosphere/sciences_humaines/module7/evaciter3.html

▷ *Exercice 1*

Une première recherche documentaire

Cet exercice vous permettra de faire le point sur le contenu général de la recherche documentaire en lien avec un sujet de recherche à choisir. Il comporte trois étapes complémentaires. Lisez attentivement les énoncés qui suivent.

■ PARTIE 1: Le choix du sujet

Dans un premier temps, vous devez choisir votre sujet. Pour cela, vous devez le formuler avec des mots clés généraux larges qui englobent l'idée de départ. Ensuite, vous chercherez des synonymes, et enfin vous chercherez des mots clés spécifiques et plus précis. Par la suite, grâce à l'utilisation des opérateurs booléens, vous combinerez ces mots clés entre eux. Ainsi, vous affinerez votre recherche documentaire en ciblant des références pertinentes pour votre sujet de recherche.

■ PARTIE 2: Les lectures repérées

Dans un deuxième temps, vous présenterez d'une façon très sommaire des lectures en lien avec votre sujet: un livre, un article de revue scientifique et une autre source de votre choix. Il est important de vous assurer du caractère scientifique de chaque document.

■ PARTIE 3: La bibliographie selon les normes

Dans un troisième temps, vous produirez une bibliographie universitaire (auteur-date) qui rassemble toutes les références trouvées et utilisées dans le cadre de votre recherche documentaire.

PARTIE 1 : Le choix du sujet et le début de la recherche documentaire[1]

1. Le choix du sujet

Je choisis mon sujet empirique dans le domaine des sciences humaines et j'explique en quoi il m'intéresse :

Je m'intéresse à :

Mot clé[2] 1: _____

Mot clé   2: _____

Mot clé   3: _____

Les raisons de mon intérêt :

_____

_____

_____

_____

_____

---

1. Les mots clés doivent être utilisés une seule fois dans la partie 1 de l'exercice, sauf dans la partie «Les opérateurs booléens» où ils peuvent être repris et combinés.

2. N'utilisez pas de noms de lieux (ville, pays ou autre) dans vos trois premiers mots clés. Cette information vous sera demandée plus loin.

2. Synonymes ou termes proches

Trouvez trois synonymes ou termes proches
des mots clés précédents.

Synonyme:

Synonyme:

Synonyme:

3. La délimitation plus précise du sujet

Où se situe mon sujet? (lieu)

Quand? (époque)

Qui? (population)

Dans quelle discipline (matière) je suis?
(sociologie, anthropologie, géographie, etc.)

4. L'étendue du sujet (une plus grande précision)

Pour ouvrir mon sujet tout en le précisant davantage, choisissez
trois nouveaux mots clés qui englobent votre idée de départ[1].

Mot clé   1:

Mot clé   2:

Mot clé   3:

---

1. Exemple: je travaille sur la consommation de cannabis chez les jeunes. Mots clés plus larges: drogue, déviance, marginalité, toxicomanie, etc.

Les opérateurs booléens: montrez que vous savez utiliser les opérateurs booléens (ou logiques) ET, OU, SAUF, en combinant quelques mots que vous avez proposés ci-dessus.

J'utilise ET entre deux mots clés:

_____

ET

_____

J'utilise OU entre deux mots clés:

_____

OU

_____

J'utilise SAUF entre deux mots clés:

_____

SAUF

_____

PARTIE 2 : Les références et les lectures en lien avec le sujet choisi

Livres: Utilisez le catalogue de votre université
Livre 1: Présentation générale

Auteur:

_____

Date:

_____

Titre:

_____

Éditeur:

_____

Commentaires : Pourquoi le livre est-il intéressant pour mon sujet?

_____

_____

Quelle est la partie pertinente pour mon sujet?

_____

_____

Proposez une citation pertinente pour votre sujet de recherche, avec le numéro de la page dont elle est tirée. N'oubliez pas de mettre des guillemets.

Citation: _____

_____

Articles de revues scientifiques

Article 1: Présentation générale

Auteur: _____

Date: _____

Titre de la revue: _____

Titre de l'article: _____

_____

Commentaires: Pourquoi l'article est-il intéressant pour mon sujet?

_____

_____

_____

Quelle est la partie pertinente pour mon sujet?

_____

_____

Proposez une citation pertinente pour votre sujet de recherche, avec le numéro de la page dont elle est tirée.

Citation: _____

_____

Article 2: Présentation générale

Auteur: _____

Date: _____

Titre de la revue: _____

Titre de l'article: _____

Commentaires: Pourquoi l'article est-il intéressant pour mon sujet?

_____

_____

Quelle est la partie pertinente pour mon sujet?

_____

_____

Proposez une citation pertinente pour votre sujet de recherche, avec le numéro de la page dont elle est tirée.

Citation: _____

_____

Autre source scientifique de votre choix

Thèse de doctorat, mémoire de maîtrise, article d'encyclopédie, article de bulletin d'un centre de recherche, article issu d'une source gouvernementale (y compris en ligne).
Ne prenez pas de livre ni d'article de revue.

Présentation générale

Type de document (mémoire, article d'encyclopédie, etc.)
ou adresse Internet complète

Auteur:

Date:

Titre:

Commentaires:
Pourquoi la source est-elle intéressante pour mon sujet?

Comment vais-je l'utiliser dans mon travail?

Proposez une citation pertinente pour votre sujet de recherche, avec le numéro de la page dont elle est tirée.

Citation:

_____

_____

_____

PARTIE 3 : Présentation universitaire de la bibliographie

Sur une feuille à part et à l'aide des exemples proposés dans ce guide, présentez de façon universitaire les sources bibliographiques repérées. Faites attention à l'emploi de l'italique, des guillemets, etc.

_____

_____

_____

_____

_____

_____

_____

_____

_____

_____

☐ SEMAINE 7
La fiche de lecture

Il est indispensable de recourir à des fiches de lecture pour approfondir vos connaissances sur votre sujet de recherche, consigner des informations pertinentes, les organiser et les utiliser pour la rédaction finale d'un résumé, d'un rapport de recherche ou d'un écrit d'une plus grande ampleur.

Bien que la réalisation de la fiche de lecture ne soit pas une fin en soi, elle résulte d'un travail personnel que l'on fait chez soi, pour garder une trace de ce que l'on a lu en vue de le réutiliser par la suite dans le cadre d'un travail individuel ou d'un travail d'équipe. En effet, vos coéquipiers et vous pourrez échanger ces fichiers au lieu des documents initiaux comme les livres ou les textes scientifiques, beaucoup plus longs à lire, et ainsi gagner du temps.

Il existe plusieurs modèles de fiches de lecture. Choisissez un modèle qui conviendra à vos besoins. Même si la fiche cartonnée standard est encore utilisée dans le milieu universitaire, nous vous conseillons de réaliser vos fiches de lecture à l'ordinateur.

Selon vos besoins, vous pouvez réaliser une fiche bibliographique ou de référence, une fiche-citation, une fiche-résumé, une fiche-commentaire, une fiche-schéma, une fiche-tableau, une fiche complète ou mixte, etc. Le site de l'Université de Montréal propose plusieurs modèles de fiche de lecture: www.bibliotheques.uqam.ca/InfoSphere/sciences_humaines/module8/prendrenotes.html. On peut aussi se référer à Dionne (2008). Généralement, chaque fiche doit comporter les éléments suivants: le thème de la fiche, la source avec la référence exacte du texte, le contenu et le classement de la fiche. Brièvement, voyons le contenu de chacune de ces fiches.

1. La fiche bibliographique ou de référence

Cette fiche doit réunir la référence exacte du texte consulté (auteur, date, titre, maison d'édition, pages, etc.) et la cote de l'ouvrage lorsqu'il est emprunté à la bibliothèque.

2. La fiche-citation

En plus des références du texte, la fiche-citation met en valeur un ou quelques extraits de texte que vous avez ciblés et devez rapporter fidèlement sur la fiche entre guillemets en indiquant les pages exactes du texte initial.

3. La fiche-résumé

Comme son nom l'indique, cette fiche est utilisée pour rapporter des propos de l'auteur mais dans vos propres mots. Vous pouvez y résumer une partie plus ou moins grande du livre ou de l'article (une idée, un paragraphe ou un chapitre).

4. La fiche-commentaire

En plus des éléments de base, la fiche-commentaire doit contenir des commentaires personnels, c'est-à-dire vos propres commentaires, et non ceux de l'auteur. Vous pouvez faire des commentaires sur un passage, une critique, la méthodologie utilisée par l'auteur ou même l'échantillon à l'étude. L'essentiel est de distinguer vos commentaires des opinions de l'auteur. Habituellement, comme nous le verrons dans la fiche complète, des commentaires sont placés après une citation ou un résumé.

5. La fiche-tableau

Par l'intermédiaire de la fiche-tableau, vous pouvez soit reproduire un tableau statistique significatif que vous tirez de votre lecture (livre ou article), soit engendrer un tableau statistique à partir des données de l'auteur, ou créer votre propre tableau. Cela dit, les mêmes éléments contenus dans une fiche de lecture doivent y figurer (référence exacte du livre ou de l'article, etc.). Voici un exemple d'une fiche-tableau à partir d'une situation fictive.

Fiche-tableau (exemple fictif)

Évolution de l'indice des prix au Bouroubourou			
Année	Nombre	Indice	Pourcentage
1975	18.8879	100,0	18,8
1978	17.9945	108,8	16,7
1980	14.6568	121,2	12,3
1985	16.8871	113,4	35,2
1990	15.3245	126,5	23,5
2000	12.9085	132,7	19,5
2005	13.6578	125,6	42,3

6. La fiche-schéma

De la même manière que la fiche-tableau, la fiche-schéma peut être utilisée soit pour reproduire un schéma déjà existant et que vous jugez nécessaire de reproduire et d'utiliser, soit pour en dessiner un à partir des données d'auteur. Vous pouvez aussi en imaginer un, pour mettre en valeur une problématique et son opérationnalisation ou pour représenter un réseau de concepts.

Dans chaque cas, vous devez respecter les règles relatives aux références et aux sources utilisées que nous avons mentionnées. Voici une illustration d'une fiche-schéma.

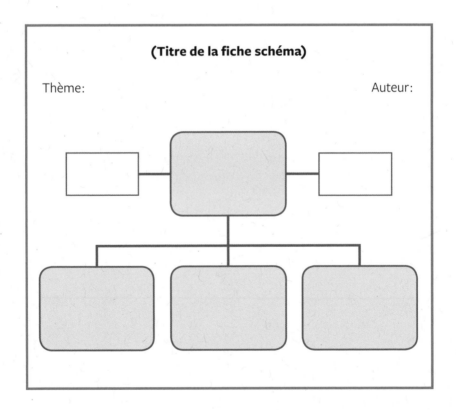

7. La fiche mixte ou complète

La fiche mixte ou complète regroupe toutes les informations contenues dans les fiches précédentes. En effet, dans une même fiche, on peut intégrer les références exactes d'un ouvrage, un résumé, des citations, des commentaires, etc. Il s'agit en fait d'une fiche de synthèse. Très souvent, on vous demandera à l'université de réaliser des fiches de lecture. La plupart du temps, il s'agira d'une fiche de lecture complète.

L'exercice suivant vous demande de produire une fiche de lecture complète en appliquant les consignes qui y sont données.

▷ *Exercice*

La fiche de lecture complète

Voici une proposition des différentes parties de la fiche complète à réaliser. Votre fiche ne doit pas dépasser deux pages. Il s'agit avant tout d'un exercice de synthèse.

☐ La présentation

Il s'agit d'un texte de (nom et prénom de l'auteur), en (date). Il prend la forme de (article de revue scientifique, livre).

Ce texte développe un questionnement sur (une liste de trois mots clés du sujet). Il s'inscrit dans le champ de (la sociologie, l'anthropologie ou autre) dont les thèmes principaux sont (famille, urbanisation, communication, éducation, immigration ou autre sujet).

❏ La problématisation

Utilisez des citations du texte. Trouvez l'information la plus précise possible.

- Objet d'étude et question de départ:
  «Cet auteur s'intéresse à (objet de l'ouvrage).»
  «Il se demande plus particulièrement
  (question de départ de l'auteur).»
- Intérêt du sujet: «Dans la mesure où il a pu constater que
  (chiffres à l'appui, citations d'autres auteurs, etc.)»:
  rapportez les arguments, les lectures de l'auteur.
- Hypothèse: «Son hypothèse principale est donc la suivante»:
  une réponse qu'il propose à sa question de départ.
- Population: «Pour vérifier cette hypothèse, l'auteur a choisi de
  travailler auprès de (hommes, femmes, travailleurs ou autres).»
- Terrain: «Et il fait ses observations sur tel terrain (entretiens,
  observation, etc.).»

❏ Le choix des citations

Choisissez 10 citations parmi les plus pertinentes à vos yeux. Ces citations doivent être des phrases compréhensibles en dehors de leur contexte. Elles seront entre guillemets et feront partie des résultats de l'étude. Vous devez les choisir de façon équilibrée. Si les résultats de l'auteur sont présentés en deux parties dans le texte, prenez cinq citations par partie, par exemple.

☐ Vos commentaires personnels

Les commentaires sont de deux niveaux, soit la critique interne et la critique externe. Pour plus de détails, voir la semaine 9.

La critique interne touche les commentaires que vous devez faire sur ce texte en particulier (le point de vue de l'auteur, ses positions, l'actualité du texte, le fait de savoir si l'auteur a répondu à sa question de départ). Vous pouvez essayer de voir si l'ouvrage en question ne débouche pas sur des questions en suspens. Le cas échéant, vous pouvez dénoncer un parti pris de l'auteur.

La critique externe correspond à vos commentaires sur le thème du texte, comme le racisme, la violence ou l'urbanisation en Europe, etc.

De quoi parle ce texte et que pouvez-vous ajouter à ce qu'en dit l'auteur? Que disent sur ce sujet d'autres auteurs que vous avez consultés? Il s'agit ici de comparer votre texte avec d'autres sur le même thème en vue de créer les conditions d'une discussion.

□ SEMAINE 8
Les principaux travaux universitaires et leur rédaction

Les travaux universitaires font partie des tâches que chaque étudiant doit accomplir au cours de son cheminement à l'université. Avant de nous concentrer sur la rédaction proprement dite des textes, nous vous présenterons sommairement les différents types de travaux que vous aurez à réaliser au cours de vos études universitaires. Leur choix varie en fonction des disciplines et des cycles d'études.

Les différentes productions écrites présentées ici peuvent être classées en deux catégories:

1 • les textes dépendants, «dont la finalité est de promouvoir un autre texte [...] et qui, en raison de cette finalité, ne [possèdent] ni sujet ni problématique propre» (pour en savoir plus, visitez le site du Département de philosophie de l'UQAM, sous la rubrique «Méthodologie du travail intellectuel»);

2 • les textes indépendants, représentant des textes qui, au contraire, sont autonomes.

I ▶ Les différents travaux universitaires

1. La fiche de lecture

Rappelons que la fiche de lecture constitue à la fois un résumé d'un texte et l'analyse de celui-ci. Elle permet de faire une classification pertinente de vos lectures et doit contenir tous les éléments essentiels du texte lu.

Une fiche de lecture détaillée comprend habituellement les éléments suivants: la référence exacte du texte, sa problématique, un résumé (ou une liste de citations) ainsi que des commentaires personnels (*voir l'exercice de la semaine 7*).

2. Le compte rendu

Il existe une grande variété de textes sous cette appellation un peu fourre-tout. Disons de façon générale qu'il s'agit d'un résumé qui «rend compte» d'un cours, d'une recherche, «dans le but d'exposer les faits et de relater les événements de manière objective» (Dionne, 2008: 155).

3. Le résumé (informatif)

Le résumé ou résumé informatif est un court texte écrit à partir d'un autre texte original. Il doit reproduire fidèlement la pensée de l'auteur du texte d'origine et présenter brièvement son contenu en reprenant la structure logique de son argumentation.

Le nombre de mots du résumé représente souvent 10% ou 20% du texte de départ. Habituellement, les enseignants indiquent la proportion à respecter dans un exercice sur le résumé. Le résumé doit être clair, cohérent, précis et objectif. En général, lorsque l'on parle de résumé, il s'agit en fait du résumé informatif. D'ailleurs, nous lui réservons une place de choix dans ce guide. Pour plus de détails, voir la semaine 10, «Le résumé de texte».

4. Le résumé critique

Le résumé critique est un résumé informatif auquel il faut ajouter une analyse et une critique. Cet exercice confronte le texte de départ analysé avec d'autres points de vue. La critique doit être appuyée sur d'autres propositions faites par d'autres auteurs ayant travaillé sur le même sujet. Voir la semaine 9, «La description, l'analyse et la critique: trois tâches à maîtriser».

5. La revue de littérature

La revue de littérature consiste en une présentation sous la forme de résumés objectifs de plusieurs textes à propos d'un sujet spécifique. Plus précisément, il s'agit de faire «l'état de la question», telle qu'elle est problématisée (mise en problème) par divers auteurs.

Comme le résumé, la revue de littérature peut être critique. C'est le «compte rendu critique des lectures» que l'on trouve dans les textes scientifiques. Voir la semaine 11, «La structure d'un texte scientifique».

6. Le commentaire de texte

Dans le commentaire de texte, vous commentez une question portant sur un texte donné en faisant preuve d'un sens critique et analytique. L'intitulé du devoir contient la plupart du temps la grille d'analyse à suivre pour mettre en place votre argumentation.

7. La dissertation ou l'essai

La dissertation ou l'essai est un exercice de réflexion. Il s'agit de l'écriture d'un texte analytique à partir d'une question liée au cours suivi ou à des lectures effectuées.

8. Les questions à développement

Les questions à développement sont des questions ayant un lien direct avec votre cours et vos lectures, auxquelles vous devrez répondre plus ou moins longuement: l'exercice proposé un peu plus loin sur la lecture d'une consigne type de 1er cycle en est un bon exemple.

9. Le travail de recherche

Impliquant une préparation méthodologique et un effort plus soutenus, le travail de recherche exige des étudiants une somme importante de travail, un investissement en temps et en énergie non négligeable.

D'ailleurs, le travail de recherche figure parmi les travaux longs de fin de session universitaire. Comme il s'agit d'une partie importante que l'on ne peut traiter à la légère dans le cadre d'un guide méthodologique, nous vous en donnerons un avant-goût et exposerons brièvement le processus de recherche avec ses étapes principales à la fin de l'ouvrage (semaine 12).

Mais pour l'instant, voyons comment rédiger ces différents travaux qui jalonneront votre parcours.

▷ Exercice

Les caractéristiques de différents travaux

Cochez les cases pour déterminer si les exercices proposés peuvent être... (plusieurs repaires sont possibles).

Peuvent être... Exercices	dépendants	indépendants	objectifs	analytiques	critiques
Résumé					
Revue de littérature					
Commentaire de texte					
Dissertation					
Travail de recherche					
Compte rendu					

II ▶ La rédaction des travaux universitaires

Vous écrivez quotidiennement pour diverses raisons: textes personnels (courriels à la famille et aux amis), textes professionnels (rapports de bureau, comptes rendus, articles), et enfin vous êtes amené à écrire dans le cadre des études que vous poursuivez.

Dans chaque domaine, vous mobilisez des habiletés différentes, apprises au fil du temps et de vos expériences.

Écrire avec méthode de façon universitaire s'apprend et suppose la maîtrise de certaines notions: c'est ce que nous allons voir maintenant.

L'écriture d'un texte universitaire demande la mobilisation de différents types d'idées: des arguments, des exemples, des théories d'auteurs vues en classe et leurs références – le tout dans un ensemble clair et organisé. Pour y parvenir, voici quelques étapes qui vous aideront à structurer votre travail et à mieux vous approprier la matière enseignée en classe: n'oubliez pas que ces devoirs évaluent avant tout la compréhension de celle-ci et son assimilation.

1. La consigne, le sujet, le libellé: bien comprendre ce que l'enseignant demande

Votre travail commence avec la lecture de la consigne proposée par votre enseignant: cette étape est cruciale.

Un sujet mal compris donne lieu à un devoir hors sujet, qui n'obtiendra pas la note de passage. Ainsi, faites attention:

- à la longueur du travail exigée;
- aux références documentaires demandées;
- au type de questions qui vous sont proposées: s'agit-il de questions ouvertes? (vous devez rédiger une réponse, développer), de questions à choix multiples? (vous devez cocher la bonne réponse), etc.;
- au barème: combien de points sont alloués au français? à la présentation? au contenu?

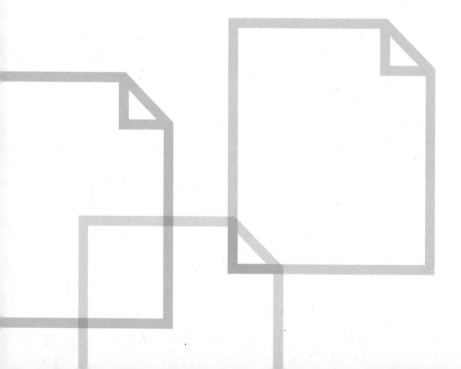

▷ *Exercice*

Analyse d'une consigne type d'un examen de sociologie de 1er cycle

Consigne: Choisir deux questions sur les trois questions proposées, répondre par un texte synthétique de deux à quatre pages (à double interligne) à l'aide de la matière vue en classe et du recueil.

L'examen compte pour 40%, la pondération est faite de la manière suivante: 20% par question, 15 points pour le contenu, 5 points pour la forme.

N. B.: Évitez l'écriture télégraphique et l'utilisation abusive de la paraphrase.

Questions

1. Distinguez et définissez les concepts sociologiques de *méthodologie qualitative* et de *méthodologie quantitative*. Soulignez leurs avantages respectifs ainsi que leurs limites.

2. Selon A. Blanchet et A. Gotman, quelle est la différence entre une entrevue semi-directive et un récit de vie?

3. Présentez un ou plusieurs exemples de méthodes d'enquête. Quels autres types de méthodes de recherche connaissez-vous?

Ici, la plupart des concepts sociologiques vous sont inconnus, ce qui n'est normalement pas le cas pour les étudiants de sociologie qui ont suivi ce cours de méthodologie de recherche. Indépendamment de cet aspect théorique, notez tout ce qui vous semble important dans la consigne pour réussir cet examen.

2. Après la consigne: le «tout-noté»

Le «tout-noté» correspond à ce qu'on appelle le *remue-méninges* ou *brainstorming.* Si vous écrivez toute l'information mémorisée (pour un devoir en classe) qui vous semble en lien avec le sujet, vous recueillerez:

- des exemples tirés du cours, de l'actualité, etc.;
- des dates;
- des noms;
- des arguments;
- des citations, si possible.

Pour un travail à la maison, complétez celui-ci avec des extraits de documentation (tirés du cours, de votre recueil, de lectures appropriées). Vérifiez l'orthographe des noms propres.

Une fois que toute cette information est colligée dans votre brouillon, vous devrez la classer. Cela constitue l'étape majeure du plan détaillé.

3. Le plan détaillé, partie centrale du travail

Le plan détaillé est le squelette de votre travail, ce qui fait que tout est cohérent et «se tient». Dans certains devoirs, les enseignants ne vous demanderont d'ailleurs que cette partie-là d'un travail, puisqu'elle comporte toutes vos idées principales.

Idéalement, un plan détaillé contient trois parties principales (I, II, III) et leurs sous-parties, au nombre de trois également (1, 2, 3). Cela dit, il peut arriver que votre travail ne comporte que deux grandes parties; dans ce cas, la conclusion sera plus longue (*voir plus loin l'exemple de plan détaillé*).

Aussi, l'équilibre est le principe de base de votre plan: vos parties doivent *grosso modo* être équivalentes en importance, donc en longueur. En effet, chaque partie représente un thème, une idée directrice qui sera soutenu par un argument particulier. Or, si l'une des parties est beaucoup plus longue qu'une autre, c'est que vos arguments ne sont pas de même valeur... ce qu'il faut éviter.

▶ Le plan détaillé contient les éléments suivants:

- Le plan du développement, auquel vous ajoutez des titres: pour chaque partie et sous-partie, lorsque vous avez trouvé un titre, vous avez votre idée phare, donc vous savez vers quoi vous vous dirigez.
- Généralement, l'introduction rédigée. Dans cette partie qui s'écrit d'habitude à la fin (lorsque le plan est terminé, on sait comment présenter son introduction), on trouve trois sous-parties: le sujet amené, qui présente le questionnement du devoir dans son contexte; le sujet posé, qui montre en quoi le sujet est intéressant; le sujet divisé, qui présente les parties (divisions) du travail. On appelle également cette partie l'*annonce du plan*.
- Généralement, la conclusion rédigée. La conclusion est une synthèse du travail. Vous y reprenez le sujet du devoir, et les idées phares que vous avez proposées dans le développement. Idéalement, la conclusion se termine par une réflexion, une ouverture vers un sujet connexe.
- Les arguments et les sources bibliographiques. Au sein d'un plan détaillé se trouvent les arguments principaux pour chaque partie, les exemples qui les accompagnent ainsi que les références documentaires choisies. Pour chaque référence, pensez à mentionner le nom de l'auteur — obligatoire, sinon c'est du plagiat! — accompagné si possible de la date ou du titre de l'ouvrage.

▷ *Exemple de plan détaillé*

Introduction rédigée

I   Idée phare ou thème 1

1. Premier aspect du thème 1,   argument et exemple
2. Deuxième aspect du thème 1,   argument et exemple
3. Troisième aspect du thème 1,   argument et exemple

II   Idée phare ou thème 2

1. Premier aspect du thème 2,   argument et exemple
2. Deuxième aspect du thème 2,   argument et exemple
3. Troisième aspect du thème 2,   argument et exemple

III   (si possible) Même structure

Conclusion rédigée

N. B.: Tâchez de proposer au minimum deux auteurs par idée phare.

• **L'importance des transitions.** Les transitions sont les liens entre les différentes parties du texte. L'absence de transitions enlèvera de la cohérence à votre travail: le lecteur se demandera, par exemple, pourquoi telle idée vient après telle autre et pas avant. Grâce aux transitions, vous justifiez le choix de l'ordre de vos arguments. Les transitions doivent nécessairement être accompagnées de mots syntaxiques (voir la semaine 2, «La prise de notes»). Variez les transitions et dégagez-vous du plan de type «copier-coller», dans lequel on ajoute sans arrêt des arguments les uns aux autres: «Ceci ET cela ET encore cela...» Établissez des relations de cause à effet, des oppositions qui vont enrichir votre argumentation.

4. La rédaction finale

La rédaction est la dernière ligne droite de votre travail. C'est à cette étape de l'examen (ou du devoir à la maison) que vous traduisez vos connaissances en un texte rédigé, le plus clair et précis possible.

Or, la rédaction constitue un exercice de français: la maîtrise de la grammaire, le choix des synonymes, la précision des verbes, etc., font partie de vos habiletés dans le maniement de la langue.

Le tableau suivant contient quelques conseils de base qui vous aideront dans cette dernière étape de la rédaction d'un travail universitaire.

Il est préférable...

- D'aérer son texte, d'aller à la ligne à chaque nouvelle idée.

- D'utiliser un dictionnaire ou toute autre source valable pour vérifier l'orthographe et la grammaire.

- De prendre 20 minutes ou plus pour relire le texte rédigé.

- De faire des phrases courtes.

Il vaut mieux éviter...

- Les prises de position radicales
  («Il est inacceptable que...»).

- Les pléonasmes
  («L'auteur a choisi le parti pris de...»).

- Les expressions familières
  («Les femmes au Québec sont plus capables»).

- Les phrases vides de sens
  («Tout le monde sait très bien que...»).

N'oubliez pas que la meilleure façon d'améliorer son écriture reste la lecture.

La description, l'analyse et la critique: trois tâches à maîtriser

Dans vos devoirs, les termes *description, analyse* et *critique* reviendront régulièrement. Il est primordial de bien les différencier.

I ▶ La description

La description est l'exercice le plus neutre et le plus objectif, qui consiste à coller aux faits. Très répandue dans les études de 1er cycle, elle représente l'exercice par excellence de la vérification directe de votre compréhension de la matière. La description sollicite avant tout votre capacité de mémorisation.

Vous devez présenter les caractéristiques factuelles de l'objet, de la notion ou du concept vus en classe ou dans vos lectures. Souvent, l'intitulé demande également de «définir» ou de «préciser» un concept ou un aspect. Vous devez faire appel à des informations apprises pendant le cours.

Voici un exemple de description: «Décrivez le contexte historique de la Révolution tranquille. Précisez les finalités de cette révolution sociale.»

II ▶ L'analyse

Ici, vous devez non seulement avoir compris et mémorisé la matière, mais en plus être capable de l'analyser, c'est-à-dire de la décomposer, d'en saisir les éléments essentiels et d'établir les liens entre eux. Une analyse se fait en deux temps.

1. La déconstruction du texte

Tout d'abord, il est primordial de situer la thèse de l'auteur. Quel est le problème posé? Quelle est la position de l'auteur sur le sujet? Comment défend-il ses idées, autrement dit quels sont ses arguments? Finalement, quelle place l'auteur accorde-t-il aux arguments qui s'opposent aux siens?

Ensuite, en déroulant le plan du texte, vous pourrez en extraire les idées principales: quelle est l'idée principale de chaque partie et de chaque paragraphe?

2. La reconstruction du texte

Une fois la thèse de l'auteur et les idées principales du texte repérées, remettez en ordre les extraits choisis à l'aide d'une grille d'analyse thématique: cette grille vous est souvent proposée dans l'intitulé de l'exercice. De cette façon, vous allez reconstruire votre propre plan et être en mesure de rédiger votre texte.

Concrètement, au cours de la rédaction finale, rappelez dans l'introduction l'objet d'étude du texte et la thèse de l'auteur; ensuite, cherchez dans tout le texte les thèmes qui pourraient rassembler tel et tel paragraphe, de façon à créer votre propre texte cohérent (*voir le schéma un peu plus loin*).

Expliquez alors les liens que l'auteur établit entre les arguments: sont-ils comparés? ajoutés? mis en relation de cause à effet?

Pour réussir votre analyse, aidez-vous de la partie «La structure d'un texte scientifique» faisant l'objet de la semaine 11 de ce guide, qui vous indique où se trouve chacune des idées essentielles dans un texte.

Recréer son propre plan en déconstruisant le texte initial

Texte initial :

Introduction

*Une histoire sans père est comme un sonnet
sans rimes, mais, cela, je ne le dis pas. Il faut
garder certaines convictions pour soi.*

DAVID ALBAHARI, *Hitler à Chicago*, 65

1 « Attends que ton père arrive » : la menace jaillissait volontiers de la bouche des mères excédées de naguère. Le seuil de la maison à peine franchi, le père était sommé de sévir. Quel homme voudrait aujourd'hui d'un tel rôle ? Il y a peu, les pères déposaient rarement les enfants à l'école ; aujourd'hui, ils les embrassent et leur disent souvent bien fort « Je t'aime » avant de filer vers leur voiture. Quelque chose, donc, a changé.

1 La menace maternelle que je viens d'évoquer montre qu'il y a à peine une génération ou deux encore, on savait, ou on croyait savoir, quel était le rôle du père. C'était le pourvoyeur et l'autorité disciplinaire, alors que la mère dispensait petits plats mitonnés, soins et tendresse. Puis les repères ont vacillé, le doute s'est installé. Si, comme le fait remarquer Yvonne Knibiehler (1987, 15), la figure symbolique du père repose sur deux fondements, l'un de caractère juridique (prérogatives de la puissance paternelle), l'autre de caractère religieux (lien entre cette puissance et l'autorité divine), qu'advient-il de cette figure lors de l'avènement de la modernité, de la démocratie laïque et de l'égalité des sexes ? C'est à ses métamorphoses que ce livre est consacré. **2**

Extrait de Lori Saint-Martin (2010), *Au-delà du nom. La question du père dans la littérature québécois actuelle*, Presses de l'Université de Montréal.

10   Au-delà du nom

Beaucoup plus que la mère[1], le père a été en question, a été une question. On ne s'étonnera donc pas de voir «la question du père» se poser avec acuité et sur un ton angoissé, parfois avec des accents d'apocalypse : *Y a-t-il encore un père à la maison ? Un avenir pour la paternité ? Dis-moi, papa… c'est quoi, un père ? Comment ça fonctionne, un père ? Un papa, ça sert à quoi ?*, «Le père a-t-il un avenir ?»[2]. Crise, démission, fuite, carence, les titres alarmistes défilent : «La famille en péril», «La paternité est-elle menacée ?», «La défaite des pères», «Les nouveaux orphelins de père», «Les hommes en miettes», «Y-a-t-il encore des hommes ?»[3]. Au-delà du sensationnalisme qui fait bien entendre ici une détresse, une colère larvée, une révolte et, parfois, un timide espoir. Car jamais, en même temps, on n'a autant prisé et réclamé la présence des pères.

La question du père se pose partout en Occident, dans les domaines les plus divers (sociologie, droit, éthique, psychanalyse). C'est certainement l'un des enjeux essentiels de notre époque, dont la portée est aussi bien théorique et conceptuelle que concrète et pragmatique : qu'est-ce qu'un père, qui est le père, à quoi sert un père, comment lui permettre de prendre sa place ? La littérature n'est pas en reste, elle qui, par le biais d'une histoire singulière, interroge souvent la société et les valeurs. Ce livre s'est nourri d'un

---

1. Ainsi, on demande rarement à quoi «sert» une mère ; on aurait peut-être intérêt toutefois à secouer ces fausses évidences. En revanche, certains débats, dont celui des «mères porteuses», interrogent le sens même de la maternité. Voir Agacinski.

2. Respectivement : Arènes, Bruel, Forest, Ben Soussan, dossier *L'actualité* 2006, Tombs. Même un ouvrage universitaire très sérieux comme l'*Histoire des pères et de la paternité* de Delumeau et Roche s'ouvre sur le même questionnement teinté de panique : «Le père a-t-il un avenir en Occident ? Qui de nous ne se pose la question ? » (9)

3. Respectivement : dossier *L'actualité* 1997, Quéré, dossier *Le nouvel observateur* 1994, dossier *Le point*, dossier *Le groupe familial, Le nouvel observateur* 1996. Les deux derniers titres de la liste, qui débordent la paternité pour traiter l'ensemble des interrogations sur la masculinité, pointent une crise plus large et suggèrent déjà indirectement, comme je l'affirmerai ici, que la question du père est aussi la question de l'identité des hommes et, plus largement, celle de la répartition du pouvoir entre les hommes et les femmes.

Thème 1

La figure du père menaçant

- Sous-thème 1
- Sous-thème 2
- Sous-thème 3

Thème 2

La figure du père moderne

- Sous-thème 1
- Sous-thème 2
- Sous-thème 3

Thème 3

La question du père

- Sous-thème 1
- Sous-thème 2
- Sous-thème 3

III ▶ La critique

Critiquer, c'est émettre un jugement «sur la valeur d'un texte à partir de critères formulés le plus explicitement possible» (Dionne, 2008: 182). Vous devrez donc vous appuyer sur des arguments pour soutenir une thèse, et faire abstraction de toutes formes de préjugés ou de représentations personnelles. Voyons comment mettre en place une argumentation.

Selon le *Larousse*, un argument est «une preuve, une raison donnée à l'appui d'une affirmation». Autrement dit, critiquer signifie essayer de démontrer, de prouver quelque chose.

De même, les arguments sont régulièrement appuyés par des éléments essentiels qui rattachent les idées à des situations concrètes: les exemples. Pour qu'une argumentation soit idéale, il faut qu'elle contienne un apport théorique (les auteurs) et un apport empirique (les exemples, les extraits de terrain dans les textes scientifiques).

Aussi, le découpage de l'argumentation est important. Comme nous venons de le voir au sujet de l'analyse, chaque partie d'un texte, chaque nouveau paragraphe correspond à un argument différent. Cela constitue la base de tout écrit universitaire. Vous trouverez donc ce modèle dans vos lectures, modèle que vous devrez appliquer dans vos devoirs.

Une argumentation solide est fondée sur des connaissances valables, reconnues dans votre milieu universitaire: ce sont les théories d'auteurs examinées en classe et dans vos lectures.

Par exemple, si un enseignant vous demande de critiquer un texte portant sur l'avortement, vous devrez critiquer la valeur du texte, la validité des recherches de l'auteur, mais toujours en argumentant grâce à des sources crédibles. Pour cela, vous pouvez utiliser des faits d'actualité et, idéalement, citer des recherches effectuées par d'autres spécialistes de la question. En aucun cas vous ne donnerez votre propre opinion sur l'avortement lui-même.

> Ainsi, critiquer n'est pas émettre une opinion personnelle. Une opinion est fondée sur une impression, un ressenti.

Finalement, retenez qu'une critique ne va pas sans une analyse. En général, il vous sera demandé de faire une «analyse critique» de texte.

> Notez que le verbe *critiquer* n'est pas utilisé dans un sens péjoratif. Ainsi, vous pouvez critiquer positivement un texte.

▷ *Exercice*

Argument versus opinion

À partir des textes distribués en classe ou de textes choisis pour votre entraînement personnel, trouvez:

- la position de l'auteur et ses arguments;
- ses exemples;
- les positions des chercheurs cités dans le texte;
- un argument pour et un argument contre chaque thème du texte;
- un exemple pour chaque argument.

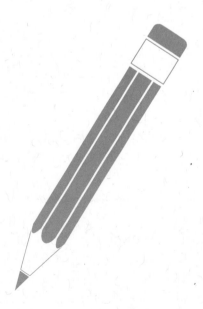

☐ SEMAINE 10
Le résumé de texte

Le résumé, ou résumé informatif, est un travail universitaire très important. Il est à la base de la plupart des travaux universitaires (recherche, fiche de lecture, revue de littérature, etc.). Il s'agit d'un court texte écrit à partir d'un autre texte. Il doit reproduire fidèlement la pensée de l'auteur du texte d'origine et reprendre la structure logique de son argumentation. Un résumé développe d'une façon condensée tant les idées principales du texte que les relations entre elles qu'a avancées son auteur initial. Lorsque vous écrivez un résumé, vous devez recomposer d'une façon synthétique, cohérente et claire le texte original. Le résumé est adapté à un destinataire censé ignorer le texte de départ.

La rédaction du résumé est intrinsèquement liée à l'apprentissage méthodique d'un savoir-faire particulier. C'est une habileté qui se travaille. En effet, la maîtrise de la technique du résumé est exigeante et vous demande de vous y exercer de façon régulière. D'ailleurs, la qualité des résumés a un rapport étroit avec celle des lectures préalables de l'auteur.

Pour rédiger un résumé, il faut s'appuyer sur des stratégies et des étapes distinctes et interdépendantes. Comme le résumé est un exercice de lecture systématique, avant de commencer la rédaction, il est nécessaire de respecter les points suivants:

- ☐ S'assurer de bien lire et de bien comprendre le texte à l'étude.
- ☐ Découper le texte à l'étude.
- ☐ Réaliser un plan de rédaction, conséquence du découpage du texte à résumer.
- ☐ Relever et formuler ou reformuler les idées principales tout en repérant les éléments de liaison entre les parties et les paragraphes du texte (conjonctions de coordination, adverbes, etc.).
- ☐ Organiser les idées principales du texte à résumer tout en déterminant ses idées directrices et leur enchaînement.
- ☐ Limiter les emprunts et les citations.
- ☐ Respecter les proportions de l'original (l'importance des paragraphes).

Comme nous l'avons déjà mentionné, le nombre de mots du résumé représente souvent 10% ou 20% du texte de départ. Dans la plupart des cas, l'enseignant vous indiquera l'ampleur que devrait avoir le résumé.

Parallèlement aux étapes et aux stratégies qu'il faut suivre dans la rédaction du résumé de texte, voici ses principales qualités:

- ☐ Le résumé est un texte continu.
- ☐ Il met en valeur l'essentiel du texte à l'étude.
- ☐ Il est concis, fidèle, ordonné et cohérent.
- ☐ Il est écrit dans un style clair et un registre de langage correct.

Cependant, le résumé de texte n'a pas les caractéristiques suivantes:

- ☐ Il n'est pas un arrangement de citations (copier-coller).
- ☐ Il n'est pas un exposé ou un commentaire de texte (explication, jugement, critique).
- ☐ Il n'est pas une simple paraphrase de l'auteur (une reprise du texte en changeant les mots).
- ☐ Il n'est pas un simple plan.
- ☐ Il n'est pas un simple schéma.

Lorsque vous rédigez la version définitive d'un résumé de texte, il est inutile de préciser que les idées sont celles de l'auteur. À cet effet, évitez les formules telles que «l'auteur dit que» ou «l'auteur nous montre que».

Par ailleurs, lorsque la rédaction est terminée, nous vous suggérons de procéder à une autoévaluation du texte avant de le remettre. Pour ce faire, assurez-vous que votre produit ne comporte pas de contresens, qu'il n'y manque pas d'idées essentielles, qu'il ne comporte pas de commentaires personnels et que le ton de l'auteur est respecté. Votre résumé ne doit pas reprendre textuellement des phrases complètes de l'auteur. Il doit recourir à des mots et à des tournures qui condensent les idées du texte, présenter une syntaxe correcte, utiliser un vocabulaire précis et se conformer aux règles de ponctuation et d'orthographe.

L'autoévaluation vous permettra aussi de vérifier plusieurs de vos aptitudes, dont la capacité de synthèse, le sens de l'organisation, l'objectivité ainsi que la patience.

Signalons, d'autre part, que la majorité des revues scientifiques que vous utiliserez un jour ou l'autre pour la réalisation de certains travaux universitaires exigent de leurs auteurs qu'ils rédigent un résumé de leurs articles. Ces textes courts, clairs et précis, sont consignés au début ou à la fin des articles. Nous vous invitons à les consulter.

Voici maintenant quelques exercices portant sur le résumé.

Exercice • Le résumé[1]

▷ *Exercice 1*

Dégagez, du texte suivant, l'introduction, le développement et la conclu-sion d'abord, puis repérez les idées principales et secondaires pour chacune de ces trois parties.

Des feux de forêt écologiques
(PIERRE DUBOIS)

Oui, le feu de forêt fait partie des mécanismes naturels de régéné-ration de l'écosystème forestier et les jeunes arbres plantés après son passage ont une meilleure croissance. Toutefois, la combustion ne doit pas être trop intense, car cela risquerait d'éliminer complè-tement la litière forestière, soit la couche superficielle de matières végétales partiellement décomposées, qui est responsable de la fertilité. Tout est une question de contrôle.

Certaines espèces croissent mieux que d'autres en brûlis. C'est le cas du pin gris et de l'épinette noire. Ces espèces ont besoin du feu pour se reproduire, car seule une forte chaleur réussit à ouvrir leur cône, laissant tomber les graines. L'épinette rouge donne, par contre, des résultats médiocres dans la même situation.

---

1. Ces exercices sur le résumé et le vocabulaire sont reproduits avec l'aimable autorisation de Véronique Léger, chargée de cours à l'Université de Montréal. Pour plus de détails sur ce type d'exercice, consulter Cajolet-Laganière, Collinge et Laganière (2009).

Ces conclusions sont celles de Denis Robitaille, chercheur au ministère des Forêts du Québec, qui a réalisé récemment une thèse de doctorat portant sur la productivité forestière après un brûlage dirigé. Denis Robitaille a étudié deux territoires forestiers: le premier au sud de Saint-Omer de l'Islet et le second au nord de Chicoutimi. [...] Le dispositif expérimental comprenait des mesures appliquées avant et après le passage du feu.

L'intensité du feu sur le site expérimental du Saguenay fut beaucoup moins forte, à tel point que le chercheur avoua que l'essai fut même considéré à un moment donné comme un échec. Toutefois, il fut surpris d'y constater une meilleure performance des plantations.

Le brûlage est loin d'être un remède miracle. Il y a même de sérieuses contre-indications lorsque le sol et l'humus sont trop minces, une situation fréquente en pentes abruptes sur les flancs de montagnes. Le passage de l'élément destructeur a toutes les chances d'y enclencher le processus d'érosion, mettant le roc à nu et rendant la revégétation difficile.

Si le feu reste peu populaire, selon Pierre Laframboise, ex-chercheur en ce domaine, à la Faculté de foresterie et de géomatique de l'Université Laval, cela s'explique par une inertie administrative: l'extinction dominerait trop la judicieuse utilisation. Plusieurs essais de brûlage dirigé ont eu lieu ces dernières années, mais tout indique que l'on ne poursuivra pas plus loin les expériences.

Il reste que le feu doit toujours être utilisé avec doigté. La période idéale pour ne pas perdre le contrôle du feu est l'automne. Le ministère des Forêts ne fait cependant aucun brûlage pendant la période de la chasse au chevreuil et à l'orignal, un moment où la forêt québécoise est particulièrement achalandée.

Proposition de corrigé

Plan dégagé

Introduction: Le feu: mécanisme naturel de régénération,
le pour et le contre, risque d'élimination
de la couche fertile.

Développement:

1 • Succès de croissance selon les espèces.
2 • Ces résultats sont ceux d'une thèse de doctorat de Denis
Robitaille, endroits ciblés, méthode utilisée, le quasi-échec
de l'expérience du Saguenay.
3 • Il y a des contre-indications au brûlage, l'érosion,
la difficulté de revégétation.
4 • L'avenir incertain du brûlage à cause de l'inertie
administrative, l'arrêt des expériences.

Conclusion: Il faut savoir utiliser le feu, il faut du doigté,
il faut le faire l'automne, il faut faire attention
à la période de la chasse.

▷ *Exercice 2*

Résumez ce texte en 40 ou 45 mots.

Mesurer le bruit
(LOUISE DESAUTELS)

Pour mesurer le bruit auquel est exposé un travailleur, on munit occasionnellement celui-ci d'un dosimètre qui fournit une mesure totale de son exposition en décibels. Cependant, depuis peu de temps, une firme américaine a mis au point un dosimètre qui enregistre les niveaux de bruit minute par minute. La foule de données recueillies donne une meilleure image de l'environnement sonore du travailleur, avec ses pics assourdissants et ses quasi-silences, à condition de pouvoir analyser ces données adéquatement! C'est la tâche qui a été assignée à Henry Scory, chercheur à l'Institut de recherche en santé et en sécurité du travail. Le produit fini, un logiciel capable de traiter les informations et d'établir des graphiques sur l'évolution du bruit en fonction du temps, est déjà utilisé par des responsables de programmes de sécurité du travail. Des droits d'exploitation ont été négociés avec la compagnie Dupont en vue de commercialisation aux États-Unis et en France.

6 phrases 162 mots

Proposition de corrigé

Un nouveau dosimètre permet de mesurer minute par minute les niveaux de bruit auxquels les travailleurs sont exposés. M. Scory, chercheur à l'IRSST, a inventé un logiciel capable d'analyser les données recueillies. Celui-ci devrait être commercialisé aux États-Unis et en France.

3 phrases 45 mots

▷ *Exercice de vocabulaire*[1]

Comment abréger ?

Pour faire un résumé, il faut «économiser» des mots. Il faut donc savoir trouver des formulations «économiques» qui évitent de reprendre les termes employés par l'auteur. Par exemple, on peut remplacer un groupe de mots par un mot unique.

On peut remplacer un groupe de mots par un nom.

Dans les phrases suivantes, remplacez les groupes de mots soulignés par un nom de même sens. Notez à chaque fois le nombre de mots économisés. Attention, la transformation peut parfois entraîner quelques modifications (déterminants, place des mots...).

C'est alors que fut accordé à ce peuple
le libre choix de se déterminer lui-même.

On peut constater que des campagnes, jadis florissantes,
se sont transformées en désert.

Ce mode de travail a conduit à faire perdre aux êtres
tout caractère humain.

Le fait d'avoir réduit à l'état de miniatures les composantes
électroniques fait gagner beaucoup de place.

Un dégoût pour les pratiques politiciennes a entraîné une véritable
désaffection pour la vie politique.

---

1. Sabbah (1991: 18-21).

On peut remplacer un groupe de mots par un adjectif.

C'est là une décision <u>sur laquelle on ne reviendra pas</u>.

Recourir à une main-d'œuvre peu chère permet d'établir des prix <u>qui peuvent soutenir toute sorte de compétition</u>.

L'abus de médicaments <u>donnant une sensation de bien-être</u> inquiète le corps médical.

Ils ont décidé d'utiliser un mode de construction <u>dans lequel les différents éléments sont faits séparément en usine et assemblés sur place</u>.

Il entreprit des démarches <u>qui n'étaient pas du tout adaptées à la situation</u>.

On peut remplacer un groupe de mots par un verbe.

On tente, autant que possible, de ne pas <u>donner une importance dramatique à l'événement</u>.

Il est très difficile <u>d'établir un choix entre</u> les différents concurrents.

Apparut alors une tendance très nette à <u>accorder</u> à ce type de comportement <u>un caractère sacré</u>.

Quand on décida <u>d'utiliser l'informatique dans</u> la gestion des fichiers, les employés eurent besoin d'une véritable initiation.

Quand il présenta son projet, on lui demanda s'il pensait vraiment pouvoir <u>le faire accéder à une réalisation concrète</u>.

On peut remplacer un groupe de mots par un adverbe.

On annonça la nouvelle <u>avec précaution, d'une manière qui n'avait rien d'officiel</u>.

La sentence avait été prononcée <u>d'une manière qui ne laissait plus aucune possibilité de modification</u>.

Il arriva <u>à un moment où l'on ne l'attendait pas</u>.

Proposition de corrigé

On peut remplacer un groupe de mots par un nom.

C'est alors que fut accordée à ce peuple l'autodétermination.   [-7 mots]

On peut constater la désertification des campagnes.   [-6 mots]

Ce mode de travail a conduit à la déshumanisation.   [-6 mots]

La miniaturisation des composantes électroniques
fait gagner beaucoup de place.   [-10 mots]

Un dégoût pour les pratiques politiciennes a entraîné
une véritable dépolitisation.   [-5 mots]

On peut remplacer un groupe de mots par un adjectif.

C'est là une décision irrévocable.   [-5 mots]

Recourir à une main-d'œuvre peu chère
permet d'établir des prix compétitifs.   [-7 mots]

L'abus de médicaments euphorisants
inquiète le corps médical.   [-5 mots]

Ils ont décidé d'utiliser un mode de construction
préfabriquée.   [-14 mots]

Il entreprit des démarches inadaptées.   [-10 mots]

On peut remplacer un groupe de mots par un verbe.

On tente, autant que possible, de ne pas
dramatiser l'événement.   [-7 mots]

Il est très difficile de sélectionner
les différents concurrents.   [-4 mots]

Apparut alors une tendance très nette à sacraliser
ce type de comportement.   [-4 mots]

Quand on décida d'informatiser la gestion des fichiers,
les employés eurent besoin d'une véritable initiation.   [-5 mots]

Quand il présenta son projet, on lui demanda s'il pensait
vraiment pouvoir le concrétiser, le réaliser.   [-7 mots]

On peut remplacer un groupe de mots par un adverbe.

On annonça la nouvelle officieusement.   [-9 mots]

La sentence avait été prononcée irrévocablement.   [-9 mots]

Il arriva fortuitement.   [-9 mots]

□ SEMAINE 11
La structure d'un texte scientifique

Cette partie du guide se veut plus théorique et conceptuelle. Nous allons aborder ici le lien entre la lecture et la rédaction d'un texte. En effet, les auteurs scientifiques qui publient des textes suivent certaines règles d'écriture. Or, vous devrez vous aussi respecter ces règles dans vos travaux, puisque vous deviendrez à votre tour un auteur scientifique.

Mais avant de passer au découpage des textes proprement dit, voici quelques définitions nécessaires à la compréhension du jargon scientifique omniprésent dans votre formation universitaire.

I ▶ Un peu de vocabulaire

1. La communication écrite

Un texte scientifique consiste en une communication écrite, dans la mesure où le but de l'auteur est avant tout de communiquer les résultats de sa recherche. Cela est valable aussi pour les livres scientifiques. Un texte scientifique suit donc le plan d'une recherche scientifique, en présentant ses parties les plus importantes.

2. Le concept

Chaque guide méthodologique propose sa définition du concept. Référons-nous à celle, relativement simple, de Depelteau (2000: 175): «Un concept est un mot ou un ensemble de mots qui désigne et définit un ensemble de phénomènes.» Autrement dit, un concept permet de simplifier une idée ou une théorie en résumant un certain nombre d'éléments sous un terme (mot, expression) plus général.

Voici un exemple simple de concept. Le concept de *chaise* représente toutes les chaises, avec tous les éléments qui constituent une chaise: le concept est donc une abstraction des caractéristiques que partagent toutes les chaises (un meuble, servant à s'asseoir, composé d'un dossier, d'un siège, etc.).

☐ Différents degrés d'abstraction

Il est important de comprendre également que tous les concepts ne sont pas aussi proches du réel que l'est celui de *chaise*. En effet, celle-ci peut être désignée du doigt; il est possible de dire qu'il s'agit d'un concept très «concret».

Les concepts ayant un degré d'abstraction plus élevé, plus éloigné du réel, sont en fait «construits» à partir de concepts d'un plus bas degré d'abstraction: on les appelle d'ailleurs des *constructions*.

Voici un exemple de concept complexe (de construction): le concept d'*intelligence*. On comprend ici que le concept d'*intelligence* contient des concepts plus spécifiques tels que «capacité de résolution d'un problème», «compréhension verbale», «mémoire» ou «habileté spatiale».

> Plus les concepts sont abstraits, plus ils devront être définis soigneusement pour ne laisser aucune place au doute, à l'approximation. Cela explique l'intérêt du processus d'opérationnalisation des concepts.

3. L'opérationnalisation des concepts

Tout chercheur opérationnalise ses concepts, c'est-à-dire les définit de la façon la plus claire possible. Pour cela, il les «ramène vers le réel» pour se faire comprendre. Il doit alors préciser les aspects suivants.

❑ Les dimensions du concept

Les dimensions permettent de préciser la pensée. Ainsi, pour expliquer ce que vous entendez par *itinérance*, par exemple, vous devez donner les dimensions de ce concept qui vous intéresse et que vous jugez pertinentes (dimensions financière, culturelle, politique, etc.).

❑ Les sous-dimensions

Parfois, les dimensions ne suffisent pas, car le concept s'avère trop complexe. Dans ce cas, il est nécessaire de chercher les composantes des dimensions, ou sous-dimensions. Cela vous permettra de préciser encore votre pensée, de la clarifier.

❑ Les indicateurs

L'opérationnalisation se termine par la détermination des indicateurs du concept. Ce sont des éléments des dimensions (ou des sous-dimensions, au besoin) que l'on peut expérimenter grâce à ses sens, c'est-à-dire des «manifestations objectives» du concept. Pour déterminer un indicateur, demandez-vous ce qui, dans le réel, vous permettrait de mesurer votre concept.

Un exemple de concept opérationnalisé : l'intégration sociale des réfugiés au Canada

Dimensions	Sous-dimensions (au besoin)	Indicateurs
culturelles		• biens culturels consommés • participation à des activités communautaires • autres
économiques	professionnelles	emploi occupé
	bancaires	• comptes ouverts • cartes de crédit • autres
communicationnelles	entre réfugiés	• interactions avec d'autres groupes • langue parlée • autres
	avec la population d'accueil	

Finalement, vous opérationnalisez les concepts pour en donner une définition claire, pour préciser le sens exact de votre recherche.

4. Problématique: le cadre théorique

De façon schématique, nous dirons que la problématique présente le problème que le chercheur se pose dans son étude. Dans cette partie, l'auteur expose ses concepts et leur opérationnalisation, les liens qui existent entre eux, en les comparant la plupart du temps avec des concepts d'autres auteurs: ses lectures.

▷ *Exercice*

Une analyse conceptuelle

Faites le schéma de l'analyse conceptuelle qui résulte des éléments contenus dans l'énoncé suivant.

Un groupe de chercheurs décide de réaliser une étude de terrain sur la pauvreté et les sans-abri dans la région de Montréal. Les chercheurs formulent l'hypothèse suivante: les sans-abri de la région de Montréal ont très peu de formation.

Par *sans-abri*, les chercheurs entendent une personne qui n'a ni adresse ni domicile fixe et connaît donc une instabilité résidentielle. Sur le plan social, il s'agit d'une personne qui n'arrive pas à prendre en charge sa nourriture, son hygiène, son entretien, sa sécurité physique et ses soins de santé et qui souffre d'une désorganisation sociale. Sur le plan psychologique, elle n'a pas de lien affectif, de but dans la vie et souffre de troubles chroniques de santé mentale.

Par *très peu de formation* du sans-abri, les chercheurs entendent que la personne n'a pas terminé ses études secondaires et souffre d'analphabétisme.

II ▶ La structure d'un texte scientifique

Nous allons à présent entrer dans l'ossature du texte. En sachant «où se trouve quoi», vous pourrez repérer l'information essentielle et serez en mesure de reproduire un plan type quand viendra votre tour d'en écrire un.

Prenez conscience du fait que ce plan est «idéaltypique» (Depelteau, 2000): les chercheurs tendent vers cet idéal, mais dans la pratique... c'est parfois moins clair.

Dans tout écrit scientifique, il y a une introduction, un développement, une conclusion. Voyons en détail ce que contient chacune de ces parties.

1. L'introduction

Cette première partie du texte contient quatre éléments majeurs:

- La présentation de l'objet d'étude: «De quoi parle ce texte?» L'introduction nous donne le sujet de l'étude en présentant la question de départ, qui est au fondement de la recherche.

- L'orientation de l'auteur et l'intérêt du sujet: «Pourquoi l'auteur a-t-il choisi ce sujet d'étude en particulier?» Dans cette partie, l'auteur affiche ses couleurs, ses préférences ou ses antipathies théoriques. Il souligne l'originalité, la pertinence et l'importance de son texte, pour que les lecteurs aient vraiment envie de le lire.

- La méthodologie. Parfois présentée plus loin dans le texte, soit en début de développement, cette partie est celle dans laquelle l'auteur expose sa démarche de recherche. A-t-il fait des entrevues? des expériences en laboratoire? Auprès de qui? Etc.

- L'annonce du plan. Enfin, toujours idéalement, l'auteur propose une présentation des différents chapitres de son texte.

2. Le développement

Le développement comprend les éléments suivants:

- Un compte rendu critique des lectures: «Qu'est-ce que l'auteur a lu dans le cadre de cette recherche et qu'en retient-il?» Ce compte rendu «justifie l'adoption, la modification ou la construction du cadre théorique» (Depelteau, 2000: 402), c'est-à-dire, entre autres, le choix de ses concepts. Dans le compte rendu, les autres théories et concepts traitant du sujet sont présentés d'une manière critique, en insistant sur leurs forces et leurs faiblesses.

- Le cadre théorique, la problématique: au vu des lectures et éventuellement des premières explorations empiriques effectuées, «Quel est plus précisément l'objet de cette recherche?» Ici, on insistera sur l'importance de chaque concept et sur son opérationnalisation. Cette partie est extrêmement importante. Elle se termine en général par une hypothèse de recherche, dévoilée avec clarté et, dans la mesure du possible, simplicité.

- Enfin, le chercheur présente ses résultats de recherche et les discute: «Voici ce que donne ma recherche.»

3. La conclusion

Il s'agit d'une synthèse du texte. On y trouve en général un rappel de l'objet d'étude et des principaux résultats découverts ainsi qu'une ouverture vers des recherches futures. On peut également y trouver les limites du sujet de l'auteur, les points qu'il pense ne pas avoir abordés, ou avoir abordés trop rapidement : une forme d'autocritique.

Voici donc le plan idéal type d'un texte scientifique.

Il est important d'ajouter qu'il existe également des textes dans lesquels vous ne trouverez pas ce plan-là parce qu'il n'existe pas encore de résultats de recherche : il s'agit de textes écrits par le chercheur avant qu'il n'ait terminé sa recherche, un état des lieux théorique de son domaine de recherche qu'il partage avec ses pairs avant de s'adresser à un public plus large.

Pour y voir plus clair, le mieux est encore de lire des textes scientifiques, évidemment.

▷ *Exercice*

Décortiquer un texte scientifique

*À partir d'un texte distribué en classe ou choisi
pour votre entraînement personnel :*

- *Donnez, en les citant, l'objet d'étude du texte,
  la question de départ de l'auteur et l'intérêt du sujet.*

- *Retrouvez ensuite trois des principaux résultats
  de l'étude de l'auteur.*

- *Ce texte contient-il une forme d'autocritique ?*

☐ SEMAINE 12
Le plan type des étapes d'une recherche scientifique

Que ce soit au début ou à la fin d'un cursus universitaire, chaque étudiant est appelé à réaliser un travail de recherche scientifique et à produire un rapport.

Grâce à la démarche scientifique, ce long travail développe une question particulière, c'est-à-dire le sujet de recherche. Dans les sciences humaines comme dans les sciences en général, ce travail consiste à rassembler et à considérer des informations privilégiées et une documentation pertinente sur le sujet choisi. Il est le plus complet et le plus abouti des travaux universitaires (mémoire de maîtrise, thèse de doctorat).

Ce type de travail s'organise autour d'un processus défini comportant des étapes spécifiques. Celles-ci vont de l'élaboration d'une question de recherche à une conclusion, en passant par la formulation d'une problématique, la proposition d'une hypothèse, la mise en place d'un travail de terrain, l'observation et l'analyse des données recueillies.

Chacun des auteurs de manuels ou de guides méthodologiques consignent les étapes d'un travail de recherche scientifique en trois à sept séquences. Pour notre part, nous vous proposons une vue d'ensemble illustrée par un plan type des étapes du travail de recherche en cinq étapes dynamiques et interdépendantes. L'intérêt de ce survol du processus de recherche scientifique est d'introduire d'une façon générale la démarche, et non de détailler chacune de ses étapes. Grâce à cette introduction, il vous sera plus facile d'y revenir lorsque vous suivrez vos cours de méthodologie.

Les cinq étapes du processus de recherche scientifique

1re étape

Définition d'un objet et formulation d'une question de départ

Terrain exploratoire
Lectures préliminaires

2e étape

Formulation de la problématique : cadre théorique de référence
Établissement d'une hypothèse (réponse anticipée à la question de départ)

3e étape

Collecte des données sur le terrain

Plusieurs modes d'exploration : expérimentation, comparaison, observation, étude de cas

4e étape

Analyse des données

Validation ou non de l'hypothèse de départ par les données
Interprétation des données

5e étape

Conclusion
Ouverture vers de nouvelles recherches

I ▶ Guide de rédaction et de présentation du rapport de recherche

Au terme de la démarche de recherche scientifique, vous devez présenter les résultats de la recherche et rédiger un rapport. La rédaction et la mise en forme du rapport sont déterminantes. Le rapport doit contenir toutes les informations pertinentes afin que le lecteur saisisse exactement ce que le chercheur (c'est-à-dire vous!) a entrepris et comment il est parvenu à ces résultats.

Voici un exemple de l'ordre des différentes parties du rapport de recherche telles qu'elles doivent figurer dans votre travail final. Notez que l'organisation de votre rédaction est différente de l'ordre proposé. Par exemple, l'introduction qui apparaît au début du travail se rédige généralement en dernier lieu.

1. La page titre et le titre

Le titre du rapport de recherche est très important. Il représente le premier contact qu'aura le lecteur avec votre recherche. Ce titre doit être signifiant. Il renferme ordinairement certains éléments de l'hypothèse et ou de l'objet de recherche. Il est nécessaire de le choisir avec soin. Vous trouverez un modèle de page titre en annexe.

2. La table des matières

La table des matières doit reproduire fidèlement les titres des parties et autres subdivisions du rapport. Vous pouvez la générer avec Word.

3. La liste des figures et la liste des tableaux

Les deux listes doivent être titrées et recensées sur des pages distinctes. Vous pouvez les générer avec Word.

4. L'introduction

Il s'agit de la présentation du sujet avec une mise en situation de la problématique. L'introduction représente environ 10% de l'ensemble du texte.

5. La problématique

Cette partie est la mise en perspective de l'ensemble des liens existant entre les faits, les acteurs et les composants d'un problème. Elle représente une partie très importante du rapport de recherche. La problématique doit rendre compte des informations obtenues au moment de la revue de la documentation, qui permettent de réaliser l'état de la question ou de délimiter le cadre théorique (ce qui a déjà été écrit ou dit à propos du sujet par d'autres chercheurs). L'état de la question ne vise pas à répondre à la question de recherche. Il sert plutôt à construire la problématique, à juger de la pertinence de la question, de l'hypothèse et de l'objet de recherche. La problématique comprend aussi l'état de la question, la question de recherche ainsi que l'hypothèse de recherche ou l'objet de recherche. Prévoyez deux pages de texte pour cette section.

En ce qui concerne l'analyse conceptuelle ou opérationnelle (l'opérationnalisation des concepts), il est nécessaire d'expliquer par des phrases les concepts en les définissant et en précisant les liens entre eux, les dimensions et les indicateurs (il ne faut pas se contenter de reproduire le schéma conceptuel). Vous pouvez compter deux ou trois pages de texte pour cette section.

6. La méthodologie

Cette partie du rapport de recherche, qui est aussi importante que les précédentes, permet de juger de la fiabilité des données recueillies. Elle doit mettre en valeur :

- la méthode choisie ainsi que l'instrument de collecte des données ;
- l'exploitation de la technique privilégiée ;
- les caractéristiques de la population retenue ;
- le déroulement de la collecte des données ;
- les règles d'éthique observées.

Prévoyez environ deux pages et demie pour cette partie.

7. L'analyse des données

Cette partie est réservée aux résultats obtenus. Il s'agit de présenter ceux-ci sans les commenter. Cela peut être fait sous forme de tableaux ou de graphiques. Cette partie du rapport renferme les éléments suivants :

- le constat des données en mettant en valeur au besoin les liens observables et signifiants entre elles, les tableaux et les variables ;
- l'évaluation de l'hypothèse selon le schéma conceptuel et la documentation consultée (vous dites alors si l'hypothèse est confirmée, infirmée ou partiellement confirmée).

Prévoyez deux ou trois pages pour cette partie.

8. L'interprétation des résultats et la discussion

Dans cette partie du rapport, le chercheur réfléchit sur la signification des résultats de sa recherche. Voici les actions à mener dans le cadre de cette partie:

- la discussion des résultats obtenus en dépassant les simples constatations;
- la réflexion sur le sens et la portée des résultats obtenus;
- l'approfondissement de certains éléments pertinents;
- la critique des résultats en montrant les limites de la recherche.

Prévoyez environ trois ou quatre pages pour cette partie.

9. La conclusion

Cette partie du rapport de recherche synthétise l'analyse et l'interprétation des résultats. On y trouve les sous-parties suivantes:

- la synthèse de l'analyse et de l'interprétation;
- la mise en valeur des connaissances nouvelles ou différentes obtenues;
- l'ouverture et les perspectives de recherche possibles.

Vous pouvez attribuer environ 10% du texte à cette partie.

> Discuter et critiquer: dans cette partie, les lectures sont encore primordiales.

10. La bibliographie

Tout au long de la plupart de vos travaux, vous aurez cité des auteurs. N'oubliez pas que ces citations doivent être reportées dans une bibliographie finale, qui permettra à l'enseignant (et à vos éventuels lecteurs) de retrouver vos sources.

Respectez les normes présentées dans ce guide.

11. Les annexes, les remerciements et les documents joints

Dans certains cas, votre travail sera enrichi d'annexes, de photocopies des textes lus, d'illustrations, etc.: vérifiez bien que tout est là, dans le bon ordre.

Vous devez vous assurer que votre rapport de recherche est paginé, saisi à un interligne et demi, avec des caractères romains (droits) pour l'ensemble du texte, de taille 12 points et agrafé au coin supérieur gauche.

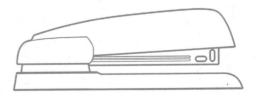